La vie
comme je l'aime

Catalogage avant publication de Bibliothèque et Archives nationales du Québec et Bibliothèque et Archives Canada

Pilote, Marcia, 1967-

La vie comme je l'aime

Sommaire : [6] La sixième saison.

ISBN 978-2-89662-366-2 (v. 6)

1. Pilote, Marcia, 1967- . 2. Romanciers québécois – 20e siècle – Biographies. I. Titre. II. Titre : La sixième saison.

PS8581.I424Z46 2009 C843'.54 C2009-941127-X
PS9581.I424Z46 2009

Édition
Les Éditions de Mortagne
C.P. 116
Boucherville (Québec) J4B 5E6
Tél. : 450 641-2387
Téléc. : 450 655-6092
Courriel : info@editionsdemortagne.com

Dépôt légal
Bibliothèque et Archives Canada
Bibliothèque et Archives nationales du Québec
Bibliothèque Nationale de France
4e trimestre 2014

ISBN 978-2-89662-366-2
ISBN (epub) 978-2-89662-368-6
ISBN (epdf) 978-2-89662-367-9

1 2 3 4 5 – 14 – 18 17 16 15 14

Imprimé au Canada

Nous reconnaissons l'aide financière du gouvernement du Canada par l'entremise du Fonds du livre du Canada (FLC) et celle du gouvernement du Québec par l'entremise de la Société de développement des entreprises culturelles (SODEC) pour nos activités d'édition. Gouvernement du Québec – Programme de crédit d'impôt pour l'édition de livres – Gestion SODEC.

Membre de l'Association nationale des éditeurs de livres (ANEL)

Marcia Pilote

La vie comme je l'aime

La sixième saison

Éditions de Mortagne

Sommaire

Introduction

Peut-être est-ce cette partie du sixième tome de *La vie comme je l'aime* que vous lirez en premier et, pourtant, c'est celle que j'ai écrite en dernier... En l'écrivant, j'ai pleuré, mais les larmes qui coulaient sur mes joues n'étaient pas des larmes de tristesse, de joie ou de soulagement d'avoir terminé. C'étaient des larmes de bonheur, de l'immense bonheur de vous savoir là, au bout de ces pages, à portée de mots.

J'ai déjà tenté de vous expliquer l'émotion que je ressens quand je pense à vous, mais c'est impossible. Ce n'est pas de l'amour, ni de l'amitié ou de la passion... C'est tout ça en même temps, et plus encore. Je n'ai plus peur de le dire : vous avez changé ma vie. Maintenant, tout ce que je vis, tout ce que je ressens, tout ce que je comprends, je ne le vis pas pour moi seule, mais pour vous toutes qui en redemandez, tome après tome.

Toutes les chroniques de ce livre sont écrites depuis plusieurs semaines. Il ne me restait qu'à vous écrire ces quelques lignes pour vous dire à quel point je suis heureuse que vous teniez ce sixième tome entre vos mains, à quel point je suis touchée de vous savoir là, dans le silence, à quel point je me sens privilégiée que vous preniez un peu de temps dans vos vies occupées pour ce tête-à-tête avec moi. Ensemble, vous et moi, nous partagerons ces beaux moments où la vie nous rassemble, où la vie nous ressemble, le temps de cinquante chroniques. Si c'était possible, je vous appellerais chacune, personnellement, pour vous dire merci.

Merci d'exister, merci de vibrer avec moi, merci d'être qui vous êtes. Merci de bien vous occuper de vos enfants, des enfants des autres, de vos amours, de vos frères et sœurs, de vos amies, de vos parents, mais, surtout, merci de bien vous occuper de vous, pour que votre vie soit la plus longue possible, pour que continue notre belle amitié. Quand cette belle aventure a commencé avec *La vie comme je l'aime - Chroniques d'hiver*, je n'avais pas encore quarante ans. J'en ai maintenant quarante-sept. Le temps passe vite... C'est pour cette raison qu'il faut tout faire pour avoir une vie comme on l'aime et, pour y arriver, il faut d'abord avoir le courage d'être qui on est !

Je termine en vous disant à quel point j'aime que vous m'écriviez à votre tour. Je conserve précieusement tous vos messages, ils ont une grande valeur à mes yeux. Merci d'aimer mes mots, merci de m'inspirer le désir d'être une meilleure personne, un peu plus chaque jour.

Bonne lecture!

Marcia

Légende

Les chroniques ont été regroupées en trois catégories, illustrées de la manière suivante :

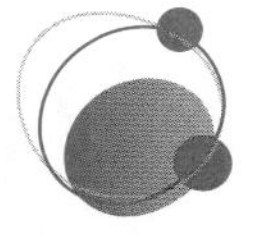

humoristiques

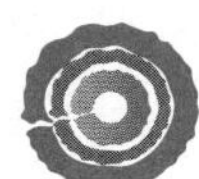

touchantes

pistes pour mieux vivre

Artistes de la vie

J'ai toujours su que j'étais une artiste. Une artiste de la télévision, une animatrice, une comédienne à mes heures, une femme créative..., mais je viens de découvrir, à quarante-sept ans, que je suis aussi (et surtout) une artiste de la vie. Mon canevas? Toutes les situations de la vie quotidienne.

Je crois que c'est pour cette raison qu'on s'entend tellement bien, vous et moi: parce qu'on exerce le même métier. Que vous soyez comptable, professeure, infirmière, chirurgienne, banquière, chauffeuse d'autobus, ingénieure, informaticienne, votre désir de créer une vie à la hauteur de vos aspirations vous relie toutes entre vous et à moi. Souvent, on pense à tort que le mot «aspiration» concerne seulement la vie professionnelle: aspirer à une promotion, à une augmentation de salaire, à un nouveau poste, etc. Mais j'ai remarqué que nos aspirations véritables, celles qui viennent de notre âme et non de notre *ego*, sont rarement d'ordre professionnel, mais plutôt d'ordre personnel. Je dirais même que la plupart des femmes ayant connu le succès professionnel ne sont pas comblées à cent pour cent par leur réussite. Je ne crois pas me tromper en affirmant ceci: le succès que recherchent les artistes de la vie est plutôt un état d'esprit idéal, un équilibre, un bonheur intérieur. Pour y arriver, on doit passer beaucoup de temps dans notre atelier à créer, à essayer, à se tromper, à recommencer, à parfaire nos techniques, à répéter. Puis, un jour, on se sent au sommet de notre art, on a envie de partager nos œuvres avec tout le monde parce qu'on en est fière, parce qu'elles nous ressemblent. Nos œuvres, ce sont tous ces moments où on réussit à être soi-même, tous ces repas qu'on prépare avec joie, toutes ces conversations et tous ces échanges profonds qu'on a avec les gens qui nous entourent, tout cet amour qu'on est capable de donner aux êtres chers, inconditionnellement. Nos œuvres, ce sont nos réussites personnelles, nos peurs qu'on vainc parce qu'on a réussi à les accueillir, nos fous rires en compagnie de nos amies de filles, nos élans d'amour envers nous-même, lorsqu'on prend conscience de notre valeur et qu'on se dit : « J'suis pas pire pantoute ! »

Une de nos œuvres, c'est d'être seule en voiture ou en autobus et d'afficher un petit sourire en coin, parce qu'on se sent bien, parce que c'est une belle journée, même s'il pleut dehors, qu'on n'a pas envie d'aller travailler et qu'on a mal dormi la nuit précédente. On se sent bien, car notre cœur est léger comme une boule de crème fouettée, et ce, sans raison particulière. Nos œuvres pourraient toutes avoir le même titre : *Fierté*. Fierté d'avoir été capable de s'affirmer, d'avoir pris du temps pour soi, fierté de vivre, fierté d'être capable de faire des choix qui changent pour le mieux le cours de notre vie, fierté d'être capable d'aimer et d'être aimée, fierté de s'aimer, fierté d'être la personne qu'on a toujours voulu être...

Qui a dit que toutes les œuvres devaient être accrochées à un mur ? Les nôtres habitent notre cœur et notre âme. Nos plus belles œuvres, on les expose sur les murs de notre vie, notre galerie d'art du quotidien.

Pour un artiste, il est normal d'avoir envie de créer. De se créer une vie à la hauteur de ses désirs, de ses rêves. Imaginez une immense toile blanche qui se trouverait devant nous chaque matin. Imaginez qu'on dispose de bons pinceaux et de tubes de peinture de toutes les couleurs. Imaginez qu'on ait le talent de mettre sur la toile nos plus belles fresques de vie. C'est aussi ça, vivre : avoir le talent de placer

sur sa toile les couleurs qui nous représentent. On l'a en chacun de nous, mais trop souvent on ne croit pas en notre talent... On préfère laisser ça aux artistes, mais on oublie que les artistes, c'est nous!

P'tits mots

Je viens de trouver un p'tit mot d'amour de mon beau Cœur Pur. Des messages de ce genre de mon amoureux, il y en a partout, toujours, souvent. Au moins un par jour. Écrits sur du vieux papier d'imprimante (celui avec des trous sur les côtés), sur un rabat de boîte de carton, sur de l'écorce de bouleau, et placés dans mes souliers, sous mes essuie-glaces comme une contravention, dans mes valises, sous l'oreiller, dans ma tasse de thé vide, etc. Des p'tits mots courts, doux, tendres, drôles... Pour aucune raison. Juste parce qu'on s'aime tellement.

Ce ne sont pas nécessairement les mots en soi qui ont de l'importance, mais le fait qu'ils viennent de toi, que tu aies du plaisir à les écrire parce que tu sais que j'aurai du plaisir à les lire, le fait que je ne m'y attende pas, aussi.

Quand j'imaginais ma relation amoureuse idéale, il y avait des p'tits mots. Tout le temps. Mais je n'osais pas me faire trop d'attentes. On m'avait dit que les p'tits mots, il y en a seulement au début d'une relation, et que ça, c'est si on est très très chanceuse. Eh bien, je dois être plus que chanceuse, parce qu'après huit ans, j'en ai encore chaque jour. Ce matin, j'ai trouvé, glissée entre l'écran et le clavier de mon ordinateur portable fermé, une feuille en papier de construction où il était écrit : « Je t'aime, chérie, tu es merveilleuse. Continue. »

J'ai éclaté de rire. Tu as voulu me dire de continuer quoi ? D'être merveilleuse ? De m'aimer ? De lire tes beaux mots ? Toutes ces réponses ? Ça m'a donné le goût d'aller chercher notre cahier et de le relire. Tu te rappelles, à nos débuts, quand nous vivions à plus de cent cinquante kilomètres l'un de l'autre et que, même après avoir passé des heures à discuter au téléphone, nous avions besoin d'écrire ce qui nous arrivait, juste pour comprendre, juste pour consigner notre bonheur quelque part, juste pour être certains qu'on ne rêvait pas, qu'on s'était bel et bien rencontrés ? Tu te souviens de ce cahier qu'on laissait traîner, dans lequel on tenait un « journal de notre amour » ? J'avais toujours hâte de voir ce que tu y avais écrit, hâte de te répondre, et c'était la même chose pour toi.

Un jour, alors que nous nous préparions tous les deux à partir de chez ta sœur à Mont-Laurier, après quelques jours de bonheur passés avec nos enfants, je suis montée dans ma voiture (je te suivais sur la route) et j'ai trouvé notre cahier sur mon pare-brise. Quand nous nous sommes arrêtés pour faire le plein, je n'ai pas pu m'empêcher de l'ouvrir pour y lire ce que tu avais écrit. Et des larmes se sont mises à couler. Des larmes de bonheur, de « j'voudrais donc pas que ça arrête ». Des larmes de joie et de peur à la fois. Ce jour-là, tu avais écrit : « Une nouvelle certitude prend place dans ma vie et c'est toi, Marcia. »

Le contenu de ce cahier, je voudrais le transcrire au complet dans cette chronique pour vous, chères lectrices, pour que vous sachiez que ça existe, un si grand amour. Mais je le garde dans notre jardin secret, à Cœur Pur et moi.

J'ai envie de vous dire que c'est possible, que nous pouvons toutes vivre une si belle histoire d'amour. Même si on se sent différente, même si on a essayé de nous faire croire qu'on devait changer, qu'aucun homme ne nous aimerait comme on est. Puis, un jour, on comprend que non seulement on a droit à cet amour, mais on a le devoir d'y croire. Et, lorsqu'on y croit, la vie place sur notre route la personne avec qui nous avancerons, avec qui nous évoluerons et grandirons. Je dis souvent à mon amoureux: «Sans toi, je suis parfaitement heureuse; avec toi, je suis parfaitement heureuse ET amoureuse. Je n'ai pas besoin de toi, j'ai *envie* de toi. J'ai envie que tu sois là, j'ai envie d'être là, j'ai envie d'être moi.»

Je prends le temps de relire nos p'tits mots dans notre cahier, commencé le 21 décembre 2006. Nous ne l'avons pas «terminé» à proprement parler, parce que notre correspondance s'est continuée ensuite sur des bouts de papier de toutes sortes. Et aussi, peut-être, parce qu'inconsciemment on ne veut pas avoir à refermer le livre de notre amour. On veut ne jamais y voir le mot «fin».

Ce qui me surprend toujours, c'est que les p'tits mots sont encore là, après tout ce temps, après toutes ces épreuves qu'on a traversées et qui peuvent venir à bout d'un couple: difficultés rencontrées par Cœur Pur quand il voulait voir ses enfants, procès, jugement qui octroie la garde de l'un d'eux à la mère, départ de celle-ci pour les États-Unis avec l'enfant, ma maladie, en 2004, qui m'a laissé des séquelles permanentes, trois ans d'éloignement pour le travail lorsque j'animais l'émission *C'est ça la vie* et que je vivais à Ottawa, les déménagements, les enfants qui grandissent, les ex qui ne partagent pas notre vision de la vie, les ados qui veulent tout contrôler... Malgré tout ça, chaque jour encore, toujours, les p'tits mots.

Quand j'imaginais ma relation amoureuse idéale, il y avait des p'tits mots. Après huit ans, ils sont devenus grands, car ils transportent avec eux non seulement des sentiments, mais aussi tous les souvenirs qu'on a su se créer ensemble.

Juste parce que c'est moi, juste parce que c'est toi, juste parce que c'est nous.

Famille recomposée

« C'est souvent de ce dont on aurait le plus besoin qu'on se prive, à cause de nos agissements contradictoires. »

Cette réflexion m'est venue alors que je pensais à mon quotidien de famille recomposée. Les enfants de Cœur Pur et les miens. Six au total. Une maintenant adulte, quatre adolescents et un enfant.

À force de côtoyer ces enfants de ma vie, j'ai remarqué que les adolescents sont les plus difficiles à aimer. Particulièrement lorsqu'il s'agit de ceux de notre conjoint. Je suis impliquée émotionnellement, physiquement et financièrement parlant (bref, tout ce qui finit en « ment ») dans tout ce qui touche ses enfants, mais je ne les ai pas « désirés »; ils sont arrivés dans ma vie comme un cheveu sur la soupe.

Si, il y a sept ans, une diseuse de bonne aventure m'avait prédit que la vie amoureuse que j'attendais arriverait sous la forme d'un homme ayant quatre enfants de deux mères différentes et des relations compliquées avec ses ex, j'aurais éclaté de rire.

L'une des premières phrases que j'ai dites à Cœur Pur quand je l'ai rencontré a été :

– J'espère que tu ne cherches pas une femme avec qui cohabiter, car ça ne m'intéresse pas du tout.

Je ne savais pas, alors, que mon bonheur résiderait justement dans cette formidable aventure que nous allions vivre ensemble : celle de former un couple solide, heureux et amoureux, qui éduque et élève de belles personnes « en construction ». Je ne savais pas non plus à quel point j'évoluerais, je me définirais, je dépasserais mes limites et je grandirais à travers toutes ces situations que la vie de famille recomposée allait m'offrir.

Lorsque les gens entrent dans notre quotidien, ils sont impressionnés de voir les jeunes faire la vaisselle après un souper en gang ou aider Adèle à déménager dans son nouvel appartement, ou encore les plus vieux s'occuper des plus petits et leur inculquer la valeur du partage. Il y en a même qui veulent prendre des photos de notre bande, à l'épicerie ! (Ce doit être notre chariot industriel rempli à ras bord qui les fascine...) On se fait appeler « la mélodie du bonheur », à cause de notre ribambelle d'enfants blonds aux yeux bleus comme les von Trapp.

Oui, c'est impressionnant aux yeux de ces gens qui nous voient quelques minutes ou quelques heures seulement, mais savent-ils à quel point c'est difficile de réussir une famille recomposée ? Savent-ils que, même si c'est souvent mélodieux, ce n'est pas toujours le bonheur? Les seules personnes qui peuvent vraiment comprendre sont celles qui connaissent cette réalité...

L'élément clé de notre réussite, à Cœur Pur et à moi, c'est d'abord et avant tout notre relation de couple solide, ainsi que notre vision commune de la vie et des valeurs qu'on veut transmettre à nos enfants. N'allez pas croire que c'est toujours facile ! On en a vécu, des épisodes noirs où l'ado en furie claque la porte de la maison pour aller vivre chez sa mère durant une période indéterminée.

D'ailleurs, à ce sujet, si vous êtes séparé(e) et que votre enfant décide d'aller vivre chez son autre parent, sur un coup de tête, après une altercation, je vous suggère de conclure une entente avec votre ex. Une entente qui stipule ceci : peu importe la situation, lorsqu'un des deux parents voit son enfant débarquer parce qu'il est en colère, il devrait automatiquement l'obliger à retourner s'expliquer avec le parent concerné.

Qu'un parent soit heureux de voir son enfant brouillé avec son ex, c'est souvent lié à un manque d'estime. Il pensera : « Wow ! Mon enfant me préfère à son père/sa mère, je dois être vraiment spécial ! » Mais la vérité, c'est que l'enfant est incapable d'accepter la confrontation et, en l'aidant à fuir le problème, on ne lui rend pas service.

Mon *chum*, qui est un pro de l'éducation, me dit souvent :

– Marcia, on ne doit pas donner aux enfants ce qu'ils veulent, mais ce dont ils ont besoin.

N'importe quel adolescent choisira d'aller vivre chez le parent où il y a le moins de contraintes, là où il se sent le plus libre... Mais c'est justement à l'adolescence qu'un enfant a plus que jamais besoin de balises. « Si j'impose des balises à mon ado, il se fâchera contre moi ! » pensent la plupart des parents. Non, votre ado fait seulement ce qu'on appelle du chantage affectif. Quand un enfant décide d'aller vivre chez son autre parent, il ne sait pas que le fait de se priver de son père ou de sa mère pendant quelques mois peut avoir des conséquences désastreuses sur sa vie adulte... C'est à vous d'essayer de lui en faire prendre conscience.

Pour réussir à être des parents séparés responsables, il est primordial de communiquer et de toujours faire front commun en ce qui concerne les enfants. Avec les pères de mes filles, nous y sommes parvenus. Elles savaient que, quoi que je dise, leur père serait d'accord avec moi et vice-versa. Par exemple, si Mario m'appelait pour m'annoncer qu'il ne voulait pas que Madeleine aille à tel ou tel party, j'appuyais sa décision à cent pour cent. Mes filles ont donc toujours su qu'une phrase du genre « j'vais aller vivre chez papa ! » n'avait aucun impact sur moi. Quand elles la sortaient, j'allais moi-même chercher leur valise et je leur offrais mon aide pour la remplir. Mais mes filles savaient très bien qu'aussitôt qu'elles arriveraient chez lui, leur père les reconduirait chez moi.

Avez-vous déjà entendu parler d'aliénation parentale? On nomme ainsi le fait qu'un parent dénigre son ex-conjoint ou conjointe devant son enfant, pour que ce dernier en vienne à penser que le parent démonisé est inadéquat, qu'il ne l'aime pas autant qu'il le devrait ou, même, qu'il peut être dangereux. L'aliénation parentale peut prendre la forme d'une simple remarque du genre «on sait bien, ton père/ta mère...», mais certains vont encore plus loin et font passer un interrogatoire en règle à leur enfant lorsqu'il revient de chez l'autre parent:

– Qu'est-ce que tu as mangé?

– Qui était avec toi?

– Tu as écouté la télé pendant combien de temps?

– Pourquoi ton père/ta mère a-t-il/elle fait ça?

Le tout sur un ton rempli de suspicion et de panique.

Comment pensez-vous que l'enfant répondra à ce genre de questions? Pour ma part, j'ai été témoin de mensonges étonnants. Certains affirmaient ne pas avoir de jouets, dormir parfois par terre, écouter la télé toute la journée sans manger, avoir été battus... Et pourquoi tant de fabulations? Pour donner au parent aliénant ce qu'il veut entendre. L'enfant veut lui prouver sa loyauté, lui signifier qu'il est de son bord. Imaginez la réaction de ce même genre de parent si l'enfant répondait:

– J'ai eu beaucoup de plaisir chez mon père/ma mère. On a rigolé, je me sens bien avec lui/elle et je ne me suis pas ennuyé de toi.

Dans le pertinent documentaire sur l'aliénation parentale *Dictature affective*, de Karina Marceau, on assiste aux témoignages d'enfants devenus adultes qui racontent pourquoi ils mentaient et transformaient la réalité pour faire plaisir à leur parent aliénant. On y découvre surtout l'impact que cette dynamique familiale néfaste a eu sur leur vie. À mon avis, tous les parents qui se séparent devraient voir ce film troublant.

Pourquoi est-ce si difficile de réussir sa famille recomposée? Parce que, dans la majorité des cas, on demande inconsciemment à l'enfant de choisir un camp, comme s'il ne pouvait pas aimer ses deux parents à la fois. Il est forcé d'en rejeter un pour faire plaisir à l'autre, et c'est terrible d'avoir à faire un tel choix à cet âge. Il n'est pas rare, aujourd'hui, que des adolescents vivent des relations de couple houleuses et empreintes de violence. Ils commencent leur vie amoureuse en transposant un conflit qu'ils portent en eux depuis qu'ils sont tout petits...

Le parent aliénant n'aura jamais une vie de couple équilibrée et saine en agissant de la sorte, puisqu'il se sert de son enfant pour combler les besoins affectifs qu'il est incapable de combler avec un autre adulte. On ne décide pas d'avoir des enfants pour nourrir notre vie affective. Il faut d'abord avoir guéri ses propres blessures d'enfance pour être un bon parent. Sinon, c'est facile de tomber dans le piège qui consiste à tisser des liens amicaux, voire tordus, avec nos enfants. Je connais plusieurs adolescents qui dorment encore dans le même lit que leur parent du sexe opposé. Un ado m'a confié qu'il le faisait pour « coller sa mère, lui donner de l'affection ». Une autre prodiguait un massage à son père chaque soir, avant d'aller se coucher. Vous n'en revenez pas? Faites une petite enquête autour de vous et vous serez étonnée de constater que c'est plus répandu qu'on ne le croit... J'ai même déjà entendu le terme « inceste psychologique » pour définir cette dynamique.

Lorsque mes amies me parlent en mal de leur ex, je leur réponds ceci: « OK, c'est peut-être vrai que ton ex est comme tu me le décris et qu'il ne fait pas les choses comme toi, mais, peu importe ce que tu

me diras à propos de lui, le fait est que tu as eu un enfant avec cet homme-là et que c'est l'enfant qui doit primer tout le reste. »

Examinons la situation d'un autre point de vue. Pensez-vous que les pères de mes filles sont toujours d'accord avec mes méthodes « marginales » ? Pensez-vous qu'ils font toujours les choses comme moi, je les ferais ? Non. Même si c'est souvent difficile et que je dois me parler et respirer par le nez, je m'assure de ne jamais les dénigrer ni de dire quoi que ce soit de négatif à propos d'eux devant mes filles. Ça ne veut pas dire qu'il faut les encenser, mais plutôt savoir se taire en présence des enfants.

Le choix des mots est important lorsqu'on compare les valeurs transmises dans un foyer et un autre. Par exemple, si je demande aux enfants de Cœur Pur de faire la vaisselle et qu'ils rétorquent : « Chez maman, on n'a pas à la faire ! » je leur réponds :

– Je comprends, c'est une réalité différente chez votre autre parent, alors c'est normal que vous ayez de la difficulté à vous ajuster, mais ici, ça se passe comme ça.

Malheureusement, dans le feu de l'action, on n'a pas toujours le comportement idéal ou la réplique parfaite... Je me souviendrai toujours d'une scène insupportable que m'a faite le plus vieux de mon *chum* à l'épicerie, parce que je n'achetais pas de pain blanc. Il enlevait le pain brun du panier et le remplaçait par un blanc. Je lui répétais calmement de remettre celui-ci sur l'étagère.

– Pourquoi, hein ? m'a-t-il demandé.

– Parce que c'est comme ça. J'achète du pain brun, c'est tout.

– Non, dis-moi pourquoi ! Donne-moi des arguments.

Je me sentais méprisée. J'aurais aimé rester calme, zen et exemplaire, mais, cette fois-là, j'ai pété un plomb et j'ai crié :

– T'EN MANGERAS CHEZ TA MÈRE, DU PAIN BLANC! Chez nous, c'est du pain brun!

Nul besoin de vous dire que je ne suis plus jamais retournée à l'épicerie avec lui!

Par la suite, pour me déculpabiliser d'avoir disjoncté, je me suis dit qu'il y avait peut-être, non loin de nous à ce moment-là, un autre parent de famille recomposée qui achetait du tofu et qui s'obstinait avec un ado boutonneux préférant acheter des saucisses à hot-dog, à la place!

En résumé, si vous voulez jouer adéquatement votre rôle de parent séparé, je crois que ces règles devraient prévaloir:

- Ne jamais dénigrer, discréditer ou mépriser l'autre parent devant notre enfant (LA règle numéro un).
- Avoir une vie affective riche et nourrissante, autre que celle qu'on a avec nos enfants.
- Se rappeler que nos enfants ne sont pas nos amis ni nos colocataires.
- Favoriser la relation de nos enfants avec notre ex, et ce, même s'il ne fait pas tout comme nous.
- Laisser notre amoureux ou amoureuse intervenir dans l'éducation de nos enfants nés d'une précédente union, et vice-versa.
- Avoir le droit de dire à notre amoureux ou amoureuse que ses enfants nous tapent sur les nerfs, par moments, sans que ça fasse un drame.
- Établir clairement avec les enfants de notre conjoint ou conjointe qu'on n'est pas leur mère/leur père et qu'on ne veut pas jouer ce rôle, puisqu'ils en ont déjà un(e), mais leur

expliquer qu'ils vivent dans la même maison que nous et que, dans cette maison, on est l'adulte-éducateur.

Grâce à ces règles, mon couple réussit à grandir et à s'épanouir depuis huit ans malgré ce tourbillon de la famille recomposée, qui n'est pas venu à bout de notre amour, de notre harmonie et, surtout, de notre rêve : celui de construire notre famille idéale sans manuel d'instructions.

En feu

Quand on a un foyer à la maison, deux accessoires sont très pratiques pour raviver la flamme ou l'éteindre : un soufflet et un seau d'eau. Si on transpose cette situation dans notre vie et qu'on remplace la flamme par vos RDP (rêves, désirs, projets), vous servez-vous davantage du seau d'eau ou du soufflet ?

Pour ma part, j'ai remarqué dans mon entourage plus de gens qui se servaient du seau d'eau pour éteindre mes projets que du soufflet pour les alimenter. En tant que mère, je me suis juré de ne jamais, au grand jamais, me servir d'un éteignoir avec mes filles, et ce, même si je ne suis pas d'accord avec leurs choix.

Je n'ai pas toujours manifesté beaucoup d'enthousiasme à l'égard des projets de mes filles, je dois l'admettre. Lorsque Adèle m'a emmenée visiter l'Université de Sherbrooke, où elle voulait s'inscrire en droit, j'ai trouvé l'expérience difficile. Pendant la visite, je lui parlais des murs beiges déprimants et du fait qu'elle allait s'ennuyer de sa famille et de ses amis. Mon but n'était pas de la décourager, mais je voulais être certaine qu'elle se lance dans ce genre d'études pour les bonnes raisons, et non parce qu'elle avait peur. À l'âge de dix-huit ans, elle m'avait déjà dit :

– Moi, je veux étudier dans un domaine stable. Je t'ai vue *rusher* toute ta vie en tant que travailleuse autonome...

Ça m'avait sciée en deux... Quoi? Ma fille avait l'image d'une mère qui *rushait,* alors que moi, je vivais ma vie comme je l'aimais? Je n'avais peut-être pas de sécurité financière ni l'assurance d'avoir un contrat chaque semaine, mais, pour moi, c'était ça, la liberté avec un grand L! Ce choix nous aura permis d'avoir une vie différente, sans contraintes de neuf à cinq, de garderie ou de camp de jour. À mes yeux, mes filles avaient eu la chance de grandir en présence d'une mère disponible, unique... tout sauf une mère qui *rushe*!

Adèle m'a dit plus tard qu'elle s'était mal exprimée, que ce n'était pas moi qui *rushais,* mais elle, en s'imaginant dans la même situation que moi. Avoir un bébé à dix-neuf ans, être contractuelle, faire sa scolarité universitaire en huit ans, avoir l'impression de mettre sa vie sur pause alors que tout le monde réalise ses rêves... c'est vrai que ça peut être apeurant! En apparence, je n'avançais pas au même rythme que les autres, mais c'est pourtant à cette époque que j'ai parcouru le plus grand bout de chemin dans ma vie. Ce que la plupart de mes amies ont accompli à trente ou quarante ans, la vie me l'a proposé à vingt ans, et c'est ce qui a fait de moi la personne que je suis aujourd'hui, à quarante-sept ans, avec un bagage bien rempli d'expériences enrichissantes que je peux partager avec d'autres femmes.

Je crois que ce qui m'a permis de me rendre là où je suis, c'est d'avoir utilisé le soufflet très souvent, pour moi et pour les autres. Parfois, il n'y avait qu'une petite flamme, entourée de doutes, et, en activant mon soufflet, je la faisais grandir pour qu'elle devienne un solide feu qui me réchaufferait le cœur et l'âme.

Quand une de mes amies me parle d'un de ses RDP, j'ai appris à ne pas dire ces petites phrases « éteignoirs » qui sèment le doute :

– Es-tu vraiment certaine?

– Moi, à ta place...

– Ne t'emballe pas trop vite, tu pourrais être déçue!

– As-tu pris toutes les précautions?

– Tu sais, ce ne sera pas facile...

– Ça s'fait pas en criant ciseau!

– As-tu vraiment l'expérience qu'il faut pour aller au bout de ce projet-là?

– Peu de gens réussissent, dans ce milieu, c'est contingenté...

Je pourrais en écrire une centaine d'autres, et je suis certaine que vous aussi!

Parlant de milieu contingenté, j'ai eu une discussion récemment à ce sujet avec Madeleine. Elle a un talent fou pour l'improvisation, le théâtre et les performances scéniques en tout genre. Elle a commencé à développer cette passion en troisième secondaire, et tous ses profs et camarades l'ont encouragée à persévérer. Quand je lui ai parlé de la possibilité d'étudier dans ce domaine, elle a sorti son propre éteignoir en me disant que plus de la moitié des étudiants en théâtre crève de faim. Savez-vous ce que je lui ai répondu?

– Et l'autre moitié travaille aussitôt sortie de l'école, et sans arrêt! Pourquoi tu ne serais pas dans cette moitié-là?

Je n'avais jamais vu ses grands yeux bleus s'illuminer autant. Elle venait de comprendre quelque chose d'important. En effet, pourquoi ne pourrait-elle pas envisager de gagner sa vie confortablement avec ce talent qui est le sien? C'est possible. Ce ne sera pas toujours facile, elle va vivre des déceptions, passer plusieurs auditions qui ne mèneront à rien, devra faire des sacrifices, mais, tant qu'elle aura le feu sacré, elle réussira à passer à travers des moments difficiles en gardant espoir. Bon, si elle a des enfants, ils diront peut-être qu'elle a *rushé* toute sa vie, mais ça, c'est une autre histoire...

Madeleine est très forte à l'école et elle a fait un PEI (programme d'éducation internationale) au secondaire. Son père (Mario est comptable agréé) trouvait dommage qu'elle ne décroche pas plutôt un diplôme en sciences, au cégep, pour avoir un plan B solide dans l'éventualité où sa carrière artistique deviendrait difficile et sa situation, précaire. J'ai expliqué à Madeleine qu'un talent, *c'est* du solide. Que c'est aussi solide qu'un diplôme et que, si elle décroche un diplôme relatif à son talent, d'après moi, ça ne peut rendre le tout que plus solide encore.

– Mario, toi, tu avais un talent pour les maths et les chiffres, ai-je dit à son père. Tu savais que tu voulais étudier en comptabilité. Aurais-tu aimé que tes parents t'obligent à faire plutôt un bac en théâtre ou un bac pour devenir mime, juste au cas où comptable, ça ne fonctionnerait pas ?

Je crois que mon exemple lui a permis de comprendre. Encourager nos enfants ne veut pas dire leur accorder du temps pour des activités qui NOUS plaisent et investir de l'argent dans ce que NOUS voulons pour eux, mais plutôt dans ce qu'EUX rêvent de faire. Quand un parent me dit : « L'important, c'est que mon enfant soit heureux », j'ai toujours un peu de difficulté à le croire, car j'ai rarement vu un parent qui pensait cela à cent pour cent. Dans sa tête, il pense : « L'important, c'est qu'il ait la sécurité, et c'est ça qui le rendra heureux ! »

Pour encourager quelqu'un, voici le genre de phrases « soufflets » que je privilégie :

– Oh wow ! C'est un beau projet ! Il te va comme un gant.

– Tu m'en reparleras, ça m'intéresse !

– Ce projet-là te fait vibrer, ça paraît.

– Je serai toujours là pour t'aider.

– Tu peux m'en parler n'importe quand.

Ces phrases «propulsantes», je les ai dites à mes amies, à mes filles, à toutes les personnes que j'aime et qui me font le cadeau de me parler de leur RDP. Je sais qu'il s'agit d'un RDP quand je vois la petite étincelle dans leurs yeux. Cette lumière spéciale, capable d'enflammer le plus beau des désirs.

Et moi, ces flammèches humaines me rappellent ceci : quand on est en feu, tout est possible !

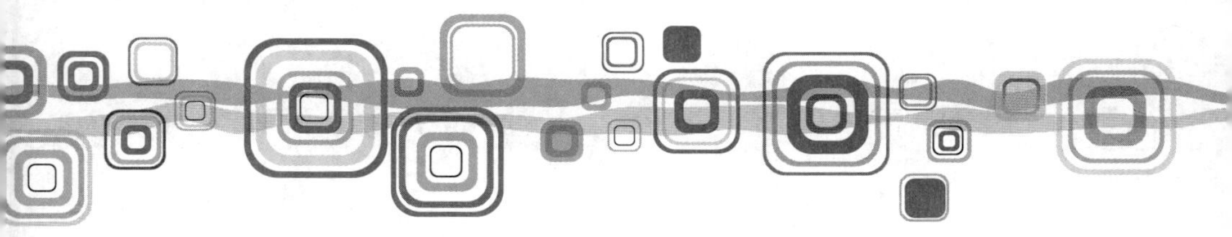

Pages du matin

Dans un mois, je vais fêter le quatorzième anniversaire de mes pages du matin ! Je vous en ai souvent parlé, mais, à part dans mes conférences, je n'ai jamais expliqué concrètement en quoi ça consistait. Faire ses pages du matin est l'outil de base du livre *Libérez votre créativité,* de Julia Cameron. Ce livre renferme douze chapitres, qu'il est recommandé de lire sur une période de douze semaines. Chaque chapitre comporte des exercices différents, mais l'exercice de base qu'il est prescrit de faire tous les jours pendant les douze semaines, ce sont les pages du matin.

Qu'est-ce que les pages du matin ?

Chaque matin au lever, avant que notre hamster n'ait commencé à courir dans notre tête, il faut écrire à la main l'équivalent de trois feuilles lignées de format huit pouces et demi sur onze.

Qu'est-ce qu'on y écrit ?

Tout ce qui nous passe par la tête. Les pages du matin, ce n'est pas de la poésie ni de la prose, il ne faut pas écrire « pour faire joli ». On écrit n'importe quoi, sans censure, même si c'est décousu. Et, si on ne sait plus quoi coucher sur le papier, on écrit pendant quelques lignes : « Je ne sais plus quoi écrire... Je ne sais tellement plus quoi écrire ! »

On peut chialer, parler de quelqu'un en mal, résoudre un problème, dialoguer avec nous-même, *brainstormer* pour trouver notre menu du samedi soir parce qu'on reçoit à souper, pleurer de joie parce qu'on vient d'apprendre une belle nouvelle, se défouler en déversant notre trop-plein, faire des colonnes de pour et de contre, raconter une anecdote... tout cela et plus encore. On élabore une stratégie pour bien réagir en réunion si, encore une fois, notre collègue nous remet en question. On décortique, on analyse, on s'insurge, on s'émeut, on *bitche*, on cherche, on trouve, on fait des liens, on se vide le cœur, on comprend des choses, on défait des nœuds, on pardonne, on refuse de pardonner, et on écrit pourquoi...

Ça n'a pas besoin d'être intelligent, percutant et organisé; au contraire. Les mots clés: aucune censure. Il est d'une importance capitale de savoir que *personne* n'a le droit de lire le contenu de nos pages du matin. Cœur Pur est au courant, c'est l'une des premières choses que je lui ai dites lorsqu'on a commencé à se fréquenter:

– Si je laisse par inadvertance mon cahier ouvert sur ma table de chevet à huit heures trente et que je me rends compte à huit heures cinquante-neuf que tu l'as lu... eh bien, à neuf heures, tu n'as plus de blonde!

Pourquoi le matin?

Parce qu'à ce moment de la journée notre côté cérébral n'a pas encore commencé à prendre le dessus. Au lever, on est dans une énergie «thêta», près de notre intuition, près du sommeil. C'est là qu'on a les meilleures idées, la meilleure compréhension de notre cœur et que notre intuition est optimale.

Pourquoi les écrire à la main?

Parce que l'écriture manuscrite sollicite le cerveau droit, l'hémisphère rattaché à l'intuition et aux émotions.

Pourquoi trois pages?

Car des études ont prouvé que trois feuilles de format huit pouces et demi sur onze (l'équivalent de mille cinq cents mots environ) sont le volume nécessaire pour atteindre le cœur de nos préoccupations et en faire le tour. D'expérience, je peux vous confirmer que c'est après une bonne page et demie que les questions cruciales émergent. La première page, c'est du déblayage. Comme quand on débarrasse le comptoir pour mettre les assiettes dans le lave-vaisselle. Cette étape est cruciale si on veut se rendre au récurage de chaudrons.

Trois est un minimum, mais on peut en faire plus! Pour ma part, je noircis de six à huit pages de mon cahier à feuilles lignées (elles sont plus petites, alors ça équivaut à cinq feuilles normales).

J'écris avec des crayons feutres pointe fine, parce que j'ai tout essayé et c'est ce qui glisse le mieux sur le papier sans que j'aie à faire d'efforts.

Depuis quatorze ans, je conserve tous mes cahiers dans de grosses valises et ma fille Adèle est bien avertie que, si je meurs, elle doit faire incinérer mes cahiers avant moi. Personne ne doit mettre la main là-dessus après ma mort. La plupart des gens brûlent leurs pages du matin au fur et à mesure (ce que j'ai fait pendant quelques mois), mais j'aime bien les relire une fois de temps en temps.

Faut-il relire nos cahiers?

Il est déconseillé de relire nos cahiers récents (ceux du mois précédent), car cela pourrait freiner nos élans. Par contre, lire le cahier de l'année précédente à pareille date est extrêmement émouvant, puisqu'on peut mesurer le chemin parcouru depuis et se féliciter. Je suis toujours étonnée de constater que ce qui me préoccupait jadis ne fait plus du tout partie de mon existence maintenant. C'est réglé pour la vie!

Y A-T-IL DES SUJETS RÉCURRENTS?

Les sujets varient selon nos préoccupations et ce qu'on vit. Il n'y a pas de bon ou de mauvais sujet. À ce titre, j'ai une petite anecdote à partager avec vous... Il y a neuf ans, quelques mois après ma séparation d'avec Mario (le père de Madeleine), j'ai dit à Brigitte:

– Je suis vraiment tannée, ça fait des semaines que j'écris seulement sur Mario! Je ne suis plus avec lui et il est encore plus présent que quand on vivait sous le même toit...

Je n'oublierai jamais la réponse de ma sœur, qui faisait elle aussi ses pages du matin depuis des années...

– Tu n'écris pas sur Mario. Tu écris sur ce que tu as vécu avec Mario. Tu es en train de boucler la boucle pour te préparer à ta future relation. Si tout le monde prenait le temps de faire ça après avoir mis fin à une longue relation, tu imagines le temps et l'énergie que ça sauverait! On ne répéterait pas les mêmes *patterns* sans arrêt...

Après notre conversation, Mario a encore été le sujet de mes pages du matin pendant quelques semaines, mais, au lieu de vouloir en finir au plus vite, je prenais tout mon temps et je déversais tout ce que j'avais sur le cœur, je pardonnais, je me consolais, je repolissais mon p'tit cœur pour qu'il scintille à nouveau. J'ai dû bien faire le travail, parce qu'un an après je rencontrais Cœur Pur!

Au fil des années, j'ai réfléchi à plusieurs analogies pour expliquer l'importance des pages du matin et ainsi inspirer le plus de personnes possible à en faire. En voici quelques-unes...

- Une équipe de football n'ira jamais sur le terrain avant d'avoir tenu un caucus, n'est-ce pas? Cela ne veut pas dire pour autant qu'elle pourra suivre les stratégies élaborées à la lettre, mais, au moins, l'équipe met toutes les chances de son côté avant d'aller affronter ses adversaires. Imaginez que le terrain de football, c'est la journée qui vous attend. Si vous ne tenez pas un caucus avec vous-même avant d'aller jouer, vous risquez de ne jamais attraper le ballon...

- Les pages du matin, c'est comme mettre au chemin un sac-poubelle chaque jour. Parfois il est rempli, parfois non, mais il n'est jamais vide. Chose certaine, quand on place son petit sac au chemin quotidiennement, ça ne pue jamais dans la maison !
- Imaginez que, chaque matin, vous vous levez avec une boule de neige de taille standard entre les mains. Cette boule de neige représente vos préoccupations quant à la journée qui commence, les tourments de la veille, les peurs, les frustrations accumulées, les perturbations provoquées par le rêve que vous venez de faire, etc. Plus la journée avance, plus votre boule de neige grossit. À la fin du mois, elle est rendue aussi grosse que la tête du Bonhomme Carnaval. Les pages du matin, c'est comme prendre votre petite boule de neige pour la tremper dans l'eau bouillante chaque jour. Vous ne la verrez ainsi jamais grossir.

Qu'est-ce que ça m'apporte, à moi, de faire mes pages du matin ?

- L'assurance de ne jamais me perdre de vue.
- Le respect des autres membres de ma famille (le matin, on ne dérange pas Marcia, elle fait ses pages du matin). Lorsque j'ai commencé, Madeleine avait quatre ans et Adèle, quatorze, et elles ont toujours respecté ce moment précieux pour moi. Elles savaient bien qu'elles en bénéficiaient aussi par la bande ! Quel enfant ne rêve pas d'avoir une mère zen, patiente, et qui garde sa bonne humeur malgré un horaire chargé ?

- L'impression, chaque matin, de commencer ma journée en étant centrée et *focusée,* peu importe ce qui pourrait me tomber dessus ensuite.
- L'occasion de faire la lumière sur une situation qui me pose problème. De la comprendre sous un autre angle, ce qui me permet de ne pas faire du surplace, mais plutôt d'avancer.
- La sensation d'être vraiment moins frustrée par les obligations de la vie quotidienne. Je n'ai plus l'impression de toujours passer en dernier. Ces quarante minutes juste à moi me placent dans mon courant d'énergie et non dans celui de mon conjoint, de mes enfants, de mes employeurs, de mes collègues, etc.

Depuis que je fais mes pages du matin...

- J'ai cessé de boire du café, car cet exercice m'énergise déjà énormément.
- Je n'ai plus de baisse d'énergie l'après-midi.
- Je n'ai plus besoin de raconter mes problèmes à mes amies.
- Je me comprends et je m'aime davantage.
- Je me respecte plus et je suis plus respectée.
- Je n'ai plus besoin de l'approbation des autres.
- Je trouve des solutions auxquelles je n'aurais pas pensé et elles correspondent à qui je suis.
- J'honore davantage qui je suis et ma façon de faire.
- Je suis capable de m'affirmer.
- Je suis capable de dire non et de savoir pourquoi je dis non.

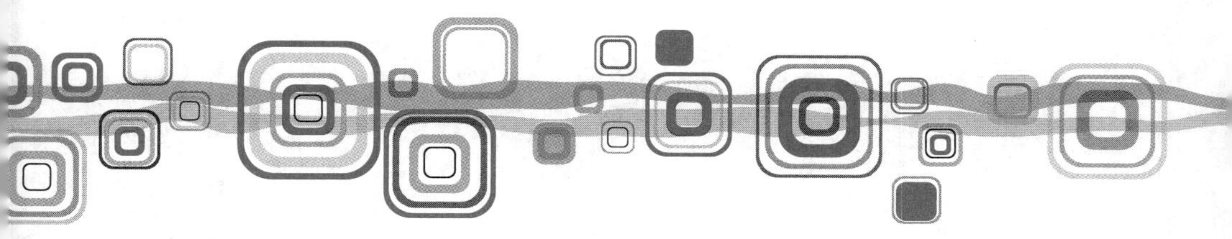

- Je ne laisse plus les autres me dire comment je devrais faire telle chose ou comment je devrais réagir dans telle situation. Je prends le temps de me poser la question : « Toi, Marcia, tu ferais quoi ? »
- Je ne transporte pas de tristesse, je ne laisse pas mon cœur devenir gros.
- Mon *ego* est plus calme et il me tyrannise très rarement. Je le vois venir de loin, avec mes pages du matin !
- Je ne perds plus une seconde à me tourmenter, à me faire du mal ou à ruminer des situations où j'ai été mal traitée.
- Je n'ai rien sur le cœur en ce qui a trait aux autres. Ça ne veut pas dire que j'aime tout le monde et que je suis d'accord avec toutes leurs actions, mais je ne suis plus affectée par leurs comportements désagréables à mon endroit.
- Je savoure davantage le moment présent, car toutes mes appréhensions et mes peurs devant la journée qui s'annonce sont éliminées dès le matin. (Dites-vous que, si vous ne les traitez pas, elles auront un lourd impact sur votre journée.)
- Je gagne donc trois heures par jour en cumulant tout le temps que je ne perds plus désormais.

Je pourrais continuer cette liste pendant dix pages, mais il n'y a rien comme vivre l'expérience soi-même. Ce que j'aime de cet outil, c'est qu'il est gratuit, qu'il peut se faire n'importe où et qu'il nécessite seulement trente à quarante minutes de notre temps chaque jour.

Quand des femmes me disent : « Je ne vois pas comment je pourrais trouver trente minutes le matin pour faire mes pages ! » je leur réponds : « Moi, je ne vois pas comment vous pouvez vous priver de tous les bienfaits des pages du matin ! » J'aime mieux me lever trente minutes plus tôt et passer ma journée en étant centrée et *focusée* que de me coucher avec la sensation désagréable d'être passée à côté de quelque chose. Et, vous verrez, vous constaterez rapidement que vous n'êtes pas si indispensables que ça, le matin, aux membres de votre famille. On peut revoir notre routine pour obtenir ce moment à nous, croyez-moi.

Depuis quatorze ans, tous les matins que la vie m'offre commencent par ce rituel. Que je sois en congé ou en gros *rush* de travail, que j'ovule ou que je sois menstruée, que je sois en lendemain de veille ou en retraite fermée, à l'hôpital ou en tournage, en amour, en dépression, en voyage ou en remise en question, mes pages du matin, c'est non négociable!

Si je ne faisais pas mes pages, mes journées ne seraient pas ce qu'elles sont et, surtout, je ne pourrais pas être vraiment qui je suis!

En pleine séance de pages du matin, au bord de la mer!

Mon bain

Si je n'avais plus le droit de prendre de bain pour le reste de mes jours, je crois que je ne survivrais pas. Ma salle de bains, c'est comme mon château fort. C'est là que je vais chercher les munitions dont j'aurai besoin pour affronter le tourbillon qui m'attend chaque jour. Chez nous, tout le monde sait que, quand je suis dans mon bain, il ne faut pas me déranger. Le feu pourrait prendre dans la cuisine, le toit du salon pourrait s'écrouler, tant que je suis dans le bain, il n'y a aucun problème !

Quand j'étais une jeune mère, j'amenais mon bébé dans la salle de bains avec moi, je me lavais « l'essentiel » rapidement et je sortais. J'appelais ça mes « bains essentiels ». Si j'étais chanceuse et que le bébé s'endormait, j'avais la paix un peu plus longtemps. Je ne me risquais pas à rajouter de l'eau chaude pour ne pas le réveiller. L'eau devenait froide ? Tant pis ! J'étais tellement bien quand même, pendant ce seul moment de paix en quarante-huit heures !

Ensuite, alors que les enfants grandissaient, je laissais toujours la porte débarrée pendant que je prenais mon bain. À NE PAS FAIRE !!! Tout le monde entrait dans la pièce comme dans un moulin. Mon *chum* venait s'asseoir sur la cuvette (couvercle fermé !) pour me raconter ses problèmes au travail (c'est là que j'ai compris pourquoi les bureaux de psychologues, ça s'appelle des cabinets...).

Je l'écoutais d'une oreille, pour être gentille, mais je n'avais qu'une seule envie : qu'il quitte mon cabinet. (Si au moins j'avais été payée cent dollars l'heure !)

Il y avait parfois un enfant qui entrait en coup de vent pour que je lui fasse réciter ses mots de vocabulaire.

– Heille, ma fille, qu'est-ce que tu veux que ça me fasse que tu saches pas que « accueil », ça prend deux *c* et que le *u* vient avant le *e* ?!?

Ou, pire encore, une ado qui vient se péter les boutons devant le miroir pendant que j'ai les yeux fermés pour méditer ! Sans compter tout ce qu'on entend déjà en dehors de la salle de bains : une dispute pour savoir qui fera la vaisselle, pour savoir qui aura le contrôle de la télé, des cris parce que le chien zigne...

Maintenant, non seulement je barre la porte, mais je la capitonne avec un matelas de camping. Tout le monde pense que le bruit du moteur qui sert à gonfler le matelas, c'est plutôt celui du séchoir à cheveux. Ce matelas, c'est mon coussin contre les bruits familiaux, ma bouée de sauvetage qui m'empêche de devenir folle ! Avec ça, ils peuvent frapper dans la porte, crier « mamaaaaaan » à tue-tête, je n'entends presque plus rien. Je suis dans mon bunker, occupée à lire, à méditer, à rêvasser, ou même à me regarder des heures dans le miroir... et, passé quarante ans, on en a pour des heures à faire de joyeuses découvertes (surtout devant un miroir grossissant !).

La première fois que je me suis regardée dans un tel miroir, j'ai eu un choc. Il y a deux côtés ; un normal et un qui grossit trente fois. Mais saviez-vous qu'il n'y a pas trop de mal à se regarder du côté grossissant ? Après quinze minutes, quand on le retourne de l'autre côté et qu'on se voit sous notre vrai jour, on se trouve vraiment belle ! Quinze minutes à découvrir nos pores géants, nos poils incarnés ou ceux qui poussent à des endroits bizarres, nos verrues, nos boutons, nos chairs molles, notre double menton, alouette... En retournant le miroir, on devient la déesse de l'Univers! Vous l'essaierez, ça coûte beaucoup moins cher qu'un *lifting*!

Je pourrais facilement rester trois jours sans sortir de ma salle de bains. J'ai de l'eau chaude, des provisions, le téléphone, des livres, de la musique... Vous vous demandez comme je ferais pour dormir? J'dormirais dans mon bain par périodes de trois heures. Oui, c'est possible! Faut juste faire attention de ne pas être trop détendue ni de glisser sous l'eau pendant notre sommeil... Ça m'est arrivé de dormir quelques heures dans mon bain et c'est divin.

La douche? Non, merci! J'ai dû prendre ma douche à peine dix fois dans ma vie tellement je déteste ça. On prend une demi-heure pour ajuster la température de l'eau, une autre demi-heure pour se réchauffer le corps (à moins d'avoir six pommeaux de douche ultra-puissants), et, quand on atteint enfin notre « zone de confort », il y a toujours quelqu'un dans la maison qui :

- tire la chasse d'eau;
- décide de faire la vaisselle;
- part une brassée de lavage.

Prendre une douche, c'est comme aller au lave-auto; ça me stresse. On a l'impression de devoir faire vite et on ne peut pas faire grand-chose d'autre que se laver. Impossible de lire, de parler au téléphone, ni même d'ouvrir les yeux sans hurler à cause du savon... Imaginez quand je vais en camping et que je suis obligée de prendre ma douche dans les toilettes publiques... Eh *boy*! J'aime autant ne pas me laver pendant trois jours... Y a toujours une tonne de cheveux dans la douche et un vieux savon abandonné, tout mou, qui traîne dans un coin. À moins que ce soit une grosse guimauve, vestige du feu de camp de la veille?

Sachez que ce texte, je l'ai écrit entièrement dans mon bain, assise confortablement, mon cahier de notes à la main. Personne ne m'a dérangée, j'ai rajouté de l'eau à quatre reprises et je me suis promis de ne pas sortir avant de l'avoir terminé. Je pensais à vous et au plaisir que vous auriez à le lire si vous aimez, comme moi, passer du temps dans votre bain.

Après tout, nous sommes des milliers de femmes dans le même bain !

Ma mère au théâtre

Est-ce qu'il vous arrive de vous jurer de ne plus jamais faire quelque chose? De vivre une situation désagréable, pendant laquelle vous vous répétez «plus jamais, plus jamais»? Puis le temps passe, vous oubliez et... vous recommencez!

Je viens justement de vivre une situation «plus jamais», et il faut absolument que je vous en parle. Mais, d'abord, je dois vous mettre en contexte... Ma mère est une femme réservée qui n'aime pas se donner en spectacle sauf... pendant un spectacle. Je m'explique. En tant que spectatrice, Lucie devient une tout autre personne, comme si elle se transformait. Elle n'a plus de filtre et on dirait qu'elle oublie que les comédiens sur scène peuvent nous entendre. Et, malheureusement, ça ne s'améliore pas avec les années...

Vous devez savoir que ma mère a des goûts très variés et qu'elle s'intéresse beaucoup à la culture, sous toutes ses formes. Elle apprécie autant un opéra qu'un *show* western, un spectacle de Pol Pelletier qu'un d'Angèle Arsenault. Elle lit de tout, écoute de tout, tripe sur tout. C'est grâce à ma mère si je suis aussi ouverte et intéressée à l'art. Lorsque je revenais de l'école, enfant, il y avait souvent un bout de papier attaché avec une pince à linge, sur le rideau de la cuisine. On pouvait y lire le titre d'un livre, d'un nouveau groupe de musique, du plus récent film sorti sur les écrans, etc. Je me souviens encore de la fois où elle avait écrit « Beau Dommage » sur ce fameux papier... Elle m'avait même donné de l'argent pour que j'aille acheter leur trente-trois tours à bicyclette, après l'école. À mon retour, j'avais placé le vinyle sur le tourne-disque et un monde nouveau s'était ouvert à moi. J'avais onze ans et je découvrais la force de la jeunesse, la quête de liberté. Par la suite, le rituel d'aller acheter des disques à bicyclette s'est établi : Robert Charlebois, Diane Dufresne, Angèle Arsenault, nommez-les tous. Et cette hâte de revenir à la maison pour écouter leurs mots, dans le confort de mon salon...

J'allais aussi au théâtre, au cinéma, et j'assistais à des concerts en compagnie de ma mère. On partait ensemble en voiture pour le Cinéma Beaubien de Montréal, et elle se perdait en chemin à tout coup. J'ai appris la vie grâce à tous ces disques, ces livres et ces films qu'elle m'a fait découvrir.

La tradition est encore présente aujourd'hui, mais les rôles sont inversés : c'est moi qui l'invite à aller voir des spectacles. Cependant, depuis quelques années, je dois admettre que ça me gêne de l'entendre crier des : « Oh ! Ouh ! Hipelay ! » très perceptibles quand elle a peur que les acrobates tombent pendant un spectacle du Cirque du Soleil, par exemple. Elle risque de les déconcentrer et de les faire tomber pour de vrai !

La pire expérience – celle que je voudrais effacer de ma mémoire et à cause de laquelle j'ai fait des cauchemars pendant des mois – a eu lieu au théâtre La Licorne. Le décor minimaliste était composé d'un rideau noir, de trois cubes qui faisaient office de chaises et d'un *spotlight*. Les comédiens étaient tous de la relève, sauf un, plus connu, qui incarnait le rôle principal. Au début de la pièce, ils étaient tous assis dans le public, ici et là. J'avais remarqué Normand Lévesque, l'acteur principal, assis à côté de ma mère. Je savais que cette mise en scène faisait partie du spectacle et qu'il ne fallait pas le déranger, mais ma mère, elle, s'est adressée directement à lui, en ces termes :

– Monsieur Lévesque, vous avez donc bien l'air concentré !

Si j'avais pu me cacher sous mon banc... Mais ce n'est pas tout! Au milieu de la pièce, Normand Lévesque a entonné une magnifique chanson, touchante et dramatique, qu'il a terminée en pleurant. Les paroles racontaient la descente aux enfers d'un homme... Eh bien, croyez-le ou non, à la fin de son solo, alors que le silence régnait dans la salle, ma mère s'est levée et... s'est mise à applaudir à tout rompre. J'étais tellement gênée! S'il y a bien un moment où il ne faut pas applaudir pendant une pièce de théâtre d'auteur, c'est lorsque le comédien vient de se sortir les tripes sur scène! Les conventions ne sont vraiment pas les mêmes qu'au théâtre d'été...

Pour en revenir au «plus jamais» dont je vous parlais en début de chronique, je l'ai vécu hier soir, pendant un spectacle d'opéra de Pékin présenté à la Place des Arts. Nous avons assisté à deux heures de mandarin chanté avec une voix... comment dire... unique et très aiguë. Dommage que je ne puisse pas vous faire une imitation, mais pensez à une sirène d'ambulance et au bruit d'un chat qu'on égorge, ça s'en rapproche. À l'entracte, ma mère s'est mise à imiter les chanteuses... Fort. Trop fort. Les gens la trouvaient bizarre et la dévisageaient. Qu'est-ce que je pouvais faire? Je n'allais quand même pas lui mettre la main sur la bouche! J'ai voulu lui payer un *drink* pour l'empêcher de chanter, lui offrir d'aller prendre l'air, je lui ai même dit qu'on pouvait partir si elle était fatiguée. Mais non, elle préférait continuer à entonner ses airs en mandarin inventé.

Tout à l'heure, seule dans mon salon, je repensais à ce «plus jamais» et je me suis mise à imaginer ces sorties culturelles sans ma partenaire de spectacles. Ces moments avec ma mère sont vraiment précieux et l'art prend tout son sens quand il est vécu avec une personne aussi unique, aussi vraie que Lucie, et ce, même si parfois j'ai honte et que je me dis «on serait mieux de rester à la maison pour écouter un film».

Lorsque le fameux «plus jamais» me traverse l'esprit, je dois me raviser aussitôt en me rappelant que voir ma mère aussi heureuse de sortir main dans la main avec sa fille est sans doute le plus beau des spectacles auxquels je pourrai assister dans ma vie. Et j'ai la chance d'avoir des billets aux premières loges!

Il y aura toujours des spectacles... mais il n'y aura pas toujours ma mère pour les voir avec moi.

Antigone

On fait des rencontres déterminantes, dans la vie. Surtout à l'adolescence... À l'âge de quinze ans, j'ai fait la rencontre d'une jeune femme qui a changé ma vie. Sans elle, je n'aurais peut-être pas réussi à garder ma fougue, ma solidité et, surtout, ma fierté d'être unique. Cette jeune femme a pour prénom Antigone. Vous avez compris qu'il est question ici du personnage de théâtre, mais pour moi elle aura été un modèle. J'y pense encore tous les jours... Vous voulez que je vous raconte comment j'ai fait sa connaissance?

Je venais de terminer le tournage du film *Sonatine*, de Micheline Lanctôt, dans lequel je tenais un premier rôle. J'avais eu la piqûre du jeu. Les gens du milieu me disaient que je devrais peut-être songer à m'inscrire dans une école de théâtre, quand viendrait le temps de choisir un métier, et qu'en attendant, il serait avantageux pour moi de suivre des cours de théâtre classique. À cette époque, quand on parlait de théâtre classique, il n'y avait qu'une seule référence et c'était madame Sita Riddez. Elle habitait dans une maison aux planchers de bois qui craquaient, à Outremont, et elle avait aménagé son immense salon pour y recevoir ses étudiants. À la première rencontre, elle nous posait quelques questions, puis, d'un signe de tête, elle nous disait si elle nous acceptait comme élève ou non. J'ai été acceptée. La leçon coûtait dix dollars de l'heure. Je m'y rendais le samedi après-midi, en autobus et en métro, un trajet qui me prenait presque deux heures. Je ne connaissais aucun des autres élèves présents et ça me gênait terriblement. Je n'avais jamais joué de théâtre classique de ma vie et voilà qu'après mon premier cours je me retrouvais avec une liste de livres à aller acheter à la librairie Leméac, rue Laurier, à deux pas de chez madame Riddez.

La double inconstance et *Le jeu de l'amour et du hasard* de Marivaux, les poèmes de Guillaume Apollinaire, *Phèdre* et *Iphigénie* de Racine, *Le mariage de Figaro* de Beaumarchais, et j'en passe. J'apprenais mes scènes par cœur et, chaque samedi, pendant des mois, j'allais les réciter devant madame Riddez, qui s'assoyait sur un de ses divans de velours rouge, les yeux fermés. On aurait pu croire qu'elle dormait, mais non. Il suffisait que j'aie un trou de mémoire ou que je me trompe d'un mot pour qu'elle ouvre les yeux et me lance la bonne réplique. Elle les connaissait toutes sur le bout des doigts. Impressionnant. Au début, j'étais très motivée, mais, après quelques mois, je me suis mise à m'ennuyer, car je ne trouvais pas les personnages de jeunes premières qu'elle me faisait jouer assez intéressants. De jeunes filles qui se coiffent, se maquillent, tendent des pièges à leurs soupirants... ça me lassait. Pour tout dire, je trouvais ça un peu superficiel et j'avais pris la décision de cesser les leçons.

Un bon samedi, j'en ai fait part à ma professeure, qui a ouvert les yeux très grands, d'un air surpris. Je me souviens textuellement de ce qu'elle m'a répondu :

– Avec le talent que vous avez, mademoiselle, il est hors de question que je vous laisse partir. Quand vous sortirez d'ici, tout à l'heure, vous vous procurerez la pièce de théâtre *Antigone*, de Jean Anouilh. Lisez-la et revenez samedi prochain.

C'est ce que j'ai fait. J'ai lu la pièce de A à Z pendant le trajet pour revenir chez moi, et ce, même si j'ai le mal des transports... J'étais transportée, justement, par cette jeune femme, par son mal de vivre, son authenticité et son intégrité. Je venais de tomber en amour! Encore à ce jour, presque chaque semaine, je me répète mentalement des répliques de cette pièce:

> «Comprendre... Vous n'avez que ce mot-là à la bouche, tous, depuis que je suis toute petite. [...] Comprendre. Toujours comprendre. Moi, je ne veux pas comprendre. Je comprendrai quand je serai vieille. [...] Si je deviens vieille. Pas maintenant. [...] Vous me dégoutez tous avec votre bonheur! Avec votre vie qu'il faut aimer coûte que coûte. [...] Moi, je veux tout, tout de suite, et que ce soit entier ou alors je refuse! [...] C'est très joli, la vie. Mais cela a un inconvénient, c'est qu'il faut la vivre. [...] Quel sera-t-il, mon bonheur? Quelle femme heureuse deviendra-t-elle, la petite Antigone? Quelles pauvretés faudra-t-il qu'elle fasse elle aussi, jour par jour, pour arracher avec ses dents son petit lambeau de bonheur?[1]»

L'histoire d'Antigone ne sera jamais la mienne. Je ne donnerai jamais ma vie pour aller déterrer mon frère, je ne renoncerai pas non plus à l'amour pour des convictions politiques et je ne me ferai jamais tuer par souci de justice. Mais les motivations de cette jeune femme me rejoignaient et me rejoignent encore: vivre sa vie intensément, même si on dérange, même si on est différente, même si on a beaucoup à perdre. Savoir qu'au bout du compte on a tout à gagner.

Chaque année, madame Riddez organisait un récital devant une centaine de personnes. Ça se passait au Monument-National. C'est là, il y a trente ans, que j'ai vécu l'un des moments les plus déterminants de ma vie. Tous les étudiants avaient répété une scène pour l'occasion et j'avais choisi deux extraits d'*Antigone*. C'était la première fois que j'offrais une performance théâtrale devant public. J'ai vibré

---

1. Jean ANOUILH, *Antigone*, La Table Ronde, 2008.

avec mon personnage, j'ai été transportée par elle. Je voulais tant faire honneur à cette belle jeune femme qui est venue me chercher par la main, un samedi d'octobre 1985, et qui ne m'a jamais lâchée depuis.

Ma fille Madeleine a eu la piqûre du théâtre au même âge que moi. Au collège, elle a fait partie d'une troupe dans laquelle elle s'est investie corps et âme. Elle est allée représenter le Canada à l'étranger à deux reprises, en République tchèque et en Roumanie, dans le cadre d'un festival de théâtre de la francophonie. La veille de son premier départ, je lui ai fait un cadeau : mon exemplaire original d'*Antigone*, que j'avais pris soin de faire boudiner. À la première page, je lui ai écrit ce petit mot :

« TU T'APPRÊTES À FAIRE DE BELLES RENCONTRES AVEC DES PERSONNAGES. JE T'EN SOUHAITE D'AUSSI MARQUANTES QUE CELLE D'ANTIGONE ET MOI.

JE T'AIME,

TA MÈRE »

En 1984, alors que j'interprétais Antigone à la Bibliothèque nationale du Québec, rue Saint-Denis à Montréal.

Un si grand bonheur

Samedi 6 juillet 2013, au chalet. Je viens de me lever. J'ai dormi presque dix heures et je suis bien reposée. Cœur Pur et ses deux plus jeunes sont partis à l'aube voir leur grand-mère Janine, à Mont-Laurier. Je suis seule, j'ai huit heures devant moi et je sais que la journée sera formidable, je le sens. Je me sens en vacances et, pour moi, « vacances » rime avec « livres ».

Lorsque j'ouvre un livre, que je sois à l'hôpital, dans mon bain, dans mon lit, dans mon La-Z-girl, sur un bateau, dans un resto ou dans mon auto, je suis en vacances. Toujours.

Chaque fois que je sors de la bibliothèque, ma valise déborde de livres. D'ailleurs, je pense avoir une maladie qui m'oblige à remplir toutes mes cartes de bibliothèque. Les acheteurs compulsifs ne se sentent pas bien quand leurs cartes de crédit sont vides ; eh bien, je ressens la même chose avec mes cartes de bibliothèque !

À la Grande Bibliothèque, à Montréal, j'ai le droit d'emprunter jusqu'à dix livres. À Varennes, où je suis abonnée en tant que non-résidante (ça me coûte quarante dollars par année), j'ai aussi le droit d'emprunter dix livres. À la bibliothèque de Boucherville, ma ville, j'ai droit à (tenez-vous bien) : cinquante livres !! Avant, c'était

vingt-cinq. Quand la technicienne en documentation m'a annoncé cette augmentation, j'ai eu une faiblesse :

– Madame, vous ne pouvez pas m'annoncer ça comme ça... Avez-vous une chaise, il faut que je m'assoie...

– Qu'est-ce qui se passe ?

– C'est impensable pour moi de ressortir d'ici s'il reste de la place sur ma carte ! Je vais donc être obligée d'emprunter cinquante livres, je ne pourrai pas faire autrement ! À moins qu'on fasse comme si vous ne m'aviez jamais donné cette information et que je reste à vingt-cinq ?...

C'est ce que j'ai choisi de faire. La dame a dû se dire que j'étais sévèrement atteinte... Mais ma maladie me rend heureuse, elle ne fait de tort à personne et elle me procure l'une des plus grandes joies qui soient. Chaque fois que je sors de la bibliothèque avec ma poche de livres, je suis surprise de revenir à la maison sans avoir été arrêtée par la police. *C'est trop beau pour être vrai, tous ces mots ramenés chez moi, pour moi, qui s'imprégneront en moi...*

Bref, si vous avez fait le calcul, vous comprendrez que tous les mois, sur ma table de chevet, sur les tablettes de ma salle de bains et dans mes valises, il y a au moins quarante-cinq livres qui me passent entre les mains. Je ne les lis pas tous, c'est certain, mais je les ouvre, je les *sniffe* et, surtout, je lis l'incipit de chacun. L'incipit, ce sont les premiers mots d'une œuvre. J'irais même jusqu'à affirmer que, si un livre parvient à capter votre intérêt avec son incipit, il y a de fortes chances que vous le terminiez.

Pendant que l'eau de mon thé bout, je vais chercher mon sac à dos et je dépose son contenu près de la table, à côté de mon divan. Moment de grâce. Vingt-cinq nouveaux livres que j'ai pris soin d'aller choisir dans les bibliothèques où je suis abonnée, en me basant sur ma liste. Ce ne sont pas des nouveautés, mais des livres que j'ai envie de tenir entre mes mains depuis longtemps. Je me sens comme avant un *blind date*. Est-ce que je vais les aimer? Vont-ils me décevoir? Vais-je tomber amoureuse en sachant qu'il faudra mettre fin à cette idylle à la fin du livre? Je ne sais pas ce qui m'attend. Mais je sais qu'aujourd'hui sera l'une des plus belles journées de l'année, parce qu'il y a du vent, du silence, le lac, du temps, du thé et des livres.

J'ai hâte de revoir Cœur Pur et les garçons et, en même temps, je suis contente d'être seule. Je laisse couler des larmes de bonheur sur mes joues et je me dis que c'est pour des moments comme celui-là que je vis. Ceux où tout est parfait et où on pleure de reconnaissance, de gratitude. Être capable de laisser couler ces belles larmes de bonheur, doucement. Et sentir le vent qui entre par la fenêtre de notre havre les sécher. Avoir les yeux si embrouillés qu'on pense qu'on ne sera jamais capable de lire... Parce que c'est ce qui m'attend pour les huit prochaines heures. De la lecture.

Je commence mon rituel comme d'habitude, c'est-à-dire en lisant l'incipit à voix haute. S'arrêter un instant et savourer. Aller un peu plus loin, et découvrir alors si le *blind date* est fructueux, si on a envie d'apprendre à connaître davantage les personnages et de continuer à fréquenter l'auteur.

Je me sens fébrile, heureuse et privilégiée d'avoir des milliers de pages pour moi toute seule. J'aime penser qu'elles ont été écrites pour moi, comme si, derrière les mots, quelqu'un avait voulu que MOI, Marcia Pilote, je les lise, comme si c'était un cadeau qu'on avait voulu me faire. Souvent, quand ça ne me fait pas cet effet dès les première pages, je ne me rends pas jusqu'au bout.

Je vais vous faire part des incipits de quelques livres que je prends au hasard dans mon sac, question de partager mon bonheur avec vous...

Ma mère était bleue, d'un bleu pâle mêlé de cendres, les mains étrangement plus foncées que le visage, lorsque je l'ai trouvée chez elle ce matin de janvier. Les mains comme tachées d'encre au pli des phalanges. Ma mère était morte depuis plusieurs jours.

Delphine DE VIGAN, *Rien ne s'oppose à la nuit*, J.-C. Lattès, 2011.

Je vais d'abord résumer quatre années de ma vie. En ce temps-là, je ne tenais pas de journal. Je le regrette à présent. Mais je sais que je vois aujourd'hui les choses d'un autre œil qu'à l'époque où je les vivais. Ma vie s'est transformée quand Freddie a commencé à mourir.

Doris LESSING, *Les carnets de Jane Somers*, Albin Michel, 2007.

Qu'auriez-vous fait si, le jour de votre cinquième anniversaire de mariage, vous aviez découvert une voiture que vous ne connaissiez pas dans l'allée ?

Levi HENRIKSEN, *Les curieuses rencontres du facteur de Skogli*, Les Presses de la Cité, 2012.

Le 16 mars 2009, je suis tombé malade. Disons plutôt que j'ai eu un problème de santé, car, dans les faits, je ne me suis pas senti malade. Simplement, le temps d'un trajet entre Bruxelles et Paris, je constatai qu'une moitié de mon visage était devenue inerte. Sur le moment j'ai eu très peur. En tant que médecin, je me mis à imaginer le pire...

Thierry JANSSEN, *Confidences d'un homme en quête de cohérence*, Les liens qui libèrent, 2012.

Entre la femme, la mère et la putain, je suis trop nombreuse. De temps en temps quand même, j'aimerais juste être moi. Essayer en tout cas. Mais ce n'est pas facile. Pourtant les conseils ne manquent pas, il y a toujours une copine qui a une voisine qui a su trouver le secret pour être zen, équilibrée, stable et posée. C'est fou le mal qu'on se donne pour se faire du bien. D'après les médecins, les médias, les médiums et ma mère, je fais tout de travers.

Agnès BIHL, *36 heures de la vie d'une femme*, Don Quichotte, 2013.

Ma Clara bien-aimée, je t'écris cette longue lettre de Vienne, de retour de tes funérailles. Tu m'excuseras si je t'écris même aujourd'hui, même si tu n'es plus là, même si malheureusement tu m'as quitté pour toujours. Mais depuis le 30 septembre 1853, je t'ai écrit chaque jour durant quarante-trois longues années.

Luigi GUARNIERI, *Une étrange histoire d'amour*, Actes Sud, 2012.
(Basé sur l'histoire d'amour réelle entre Schumann et sa femme Clara.)

Un jour mon père m'a demandé si je savais ce que signifie yonder. *J'ai répondu qu'à mon idée* yonder *était synonyme de* there, *là. Il a souri et il m'a dit: «Non,* yonder, *c'est entre ici et là». Cette petite histoire me reste présente depuis des années, comme un exemple de magie linguistique.*

Siri HUSTVEDT, *Yonder*, Actes Sud, 2010.

Très tôt, on m'expliqua que j'étais née dans une grande maison en Suisse. Qu'il y avait des enfants qui naissaient dans les ventres et d'autres dans les grandes maisons. Je tirai de cette vérité originelle me concernant une sorte d'orgueil aristocratique. Les grandes maisons, c'était quand même beaucoup mieux que les gros ventres sales et mous en lesquels certains bébés avaient la malchance de croître.

Cécile LADJALI, *Shâb ou la nuit*, Actes Sud, 2013.

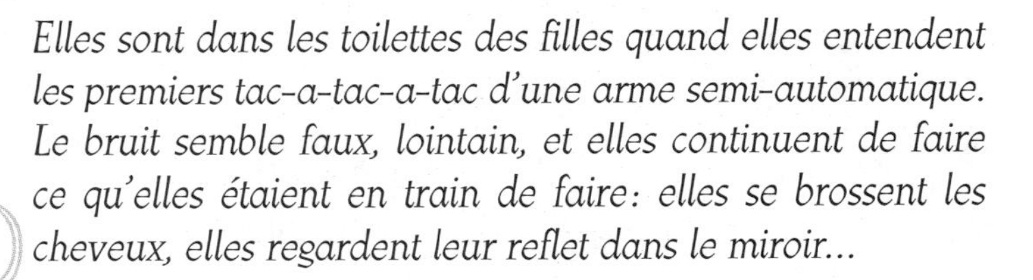

Elles sont dans les toilettes des filles quand elles entendent les premiers tac-a-tac-a-tac d'une arme semi-automatique. Le bruit semble faux, lointain, et elles continuent de faire ce qu'elles étaient en train de faire: elles se brossent les cheveux, elles regardent leur reflet dans le miroir...

Tac-a-tac-a-tac.

Laura KASISCHKE, *La vie devant ses yeux*, Le Livre de Poche, 2014.

J'allais naître. Pour moi, l'enjeu était de taille. Si c'était à refaire, je naîtrais beaucoup moins – on naît toujours trop.

– Il surnaît! s'était indigné mon père à ma sortie des viscères maternels.

On devrait arriver en silence, faire son entrée sur la pointe des pieds. Se faire oublier d'avance. On n'est jamais si prétentieux qu'en naissant.

Yann MOIX, *Naissance*, Grasset, 2013.

Tous ces livres sont disposés en trois piles, sur ma petite table. Le vent est fort, il réussit à tourner les pages des livres du dessus. Je

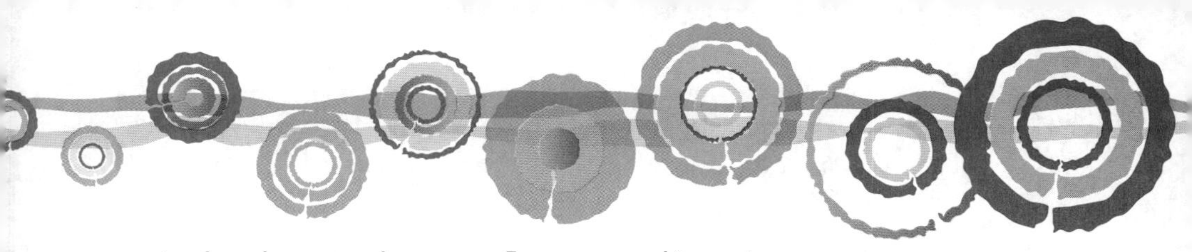

vais chercher mes lunettes. Je ne me relèverai que pour manger un morceau ou pour me dégourdir les jambes.

Je pars en voyage, assise sur le divan.

Un si grand bonheur.

Par un samedi tout simple de juillet.

Sans que ça me coûte de l'argent, sans que j'aie à me fatiguer.

Me savoir ouverte et disposée à goûter à ce grand bonheur, le temps d'une pause, le temps de vacances.

Puis, quand mon *chum* et les gars reviendront, je devrai laisser mes livres de côté pour me glisser dans mon histoire à moi. Une histoire qui n'est pas entre deux couvertures de livre ni couchée sur le papier en mots, mais plutôt imprimée sur mon cœur, en rires, en joie, si belle et majestueuse, comme la vie réelle peut l'être.

C'est pour ça que je vis, entre autres.

À mon chalet, avec des livres... un si grand bonheur!

Faire plaisir

Vous souvenez-vous du film *Le fabuleux destin d'Amélie Poulain*? Lorsque je l'ai vu, j'ai eu l'étrange sensation que le réalisateur m'avait espionnée pendant des années et qu'il s'était inspiré de ma vie pour en écrire le scénario.

Amélie Poulain est une jeune femme qui passe sa vie à mettre un peu de magie dans celle des autres. Elle pose des gestes qui rendent le quotidien de son entourage plus lumineux, comme ça, juste pour faire plaisir. J'ai toujours été comme ça. J'ai toujours eu à cœur de démontrer aux autres que la vie peut être magique, malgré les obligations, les épreuves et les difficultés. Ce n'est pas que je sois plus optimiste ou plus imaginative, seulement je sais qu'on peut faire une grande différence dans la vie des autres (et dans la nôtre) quand on se donne la peine de se demander ce qu'on pourrait faire pour mettre un peu de couleur dans la grisaille du quotidien.

On entend souvent les gens dire «je vais me faire plaisir» ou «fais-toi plaisir». Eh bien, moi, FAIRE PLAISIR à des étrangers dans la rue, à mes enfants, à mes voisins, c'est ce qui guide mes actions chaque jour. Enlevez-moi cette possibilité et ma vie sera beaucoup moins pétillante! Si on imagine que chaque journée est un verre d'eau plate du robinet, lorsque je fais plaisir à quelqu'un, c'est comme si j'y rajoutais plusieurs bulles, si bien qu'à la fin de la journée je me retrouve avec une eau pétillante.

Vous remarquerez que, trop souvent, toutes les excuses sont bonnes pour éviter de mettre des bulles dans son eau :

- Je n'ai pas d'argent ces temps-ci. (Pourtant, faire plaisir ne coûte rien !)
- Je ne sais pas quoi offrir aux autres. (Si vous êtes attentives à ce que vivent les gens de votre entourage, vous saurez exactement quoi faire.)
- Voyons donc, je ne suis pas pour me mettre à me mêler des affaires des autres ! Je vais passer pour une illuminée ! (Pourquoi se soucier du regard des autres ?)

Je dis souvent à mes filles : « Qu'est-ce que c'est, cinq minutes dans votre journée, si ça peut changer le cours de la journée d'une autre personne ? » Et, quand je constate que quelqu'un aurait pu prendre cinq minutes de son temps pour faire plaisir, mais qu'il ne l'a pas fait simplement parce que ça ne lui tentait pas, ça me fâche, vous n'avez pas idée ! Par exemple, une ado qui a un cours dans l'édifice où se trouvent, par hasard, quatre autres membres de sa famille (grands-parents, cousine, marraine). Elle n'aurait qu'à monter un étage pour aller leur faire un petit coucou qui leur ferait tant plaisir, mais elle n'en a pas envie.

Si je devais choisir une seule valeur à inculquer à mes filles, ce serait celle-là. Faire plaisir n'a rien à voir avec venir en aide ou rendre service. Quand on rend service, c'est souvent planifié et, avouons-le, on a toujours certaines attentes.

- On va laver les armoires d'une amie qui déménage sous peu ? Elle est mieux d'être disponible lors de notre prochain déménagement !

- On garde les trois enfants de notre cousine pour la journée? On espère qu'elle sera libre pour garder les nôtres quand on en aura besoin!
- On va reconduire notre tante à l'aéroport? Devinez qui sera la première appelée lors de notre prochain voyage?

Avec l'idée d'aider ou de rendre service apparaît toujours la notion de dette: tu m'en dois une, je t'en dois une. Faire plaisir à quelqu'un, c'est plutôt un geste gratuit et spontané, mais qui rapporte beaucoup, car il nous procure autant de joie qu'à la personne qui en bénéficie. Voici quelques exemples de gestes que je pose pour faire plaisir dans mon quotidien:

- Laisser passer quelqu'un dans une longue file d'attente à la caisse de l'épicerie.
- Donner une carte de remerciements de façon anonyme à un inconnu.
- Rendre visite à un patient qui s'ennuie lorsque je vais à l'hôpital pour un rendez-vous personnel.
- Laisser des messages spontanés sur la boîte vocale de mes amies.
- Faire écouter une chanson latino que j'entends dans mon iPod à un passager latino dans l'autobus, pour lui donner envie de danser.
- Donner mon adresse courriel à une famille de Libanais arrivée au Québec depuis seulement trois jours, afin qu'ils puissent me poser des questions au besoin.
- Aller déposer des bagels frais dans la boîte aux lettres de mon nouveau voisin.
- Donner des réglisses à un sans-abri.

- Offrir les cinquante sous manquants à un ado qui n'a pas sa carte d'autobus et qui n'a pas le montant exact pour monter à bord.
- Commenter favorablement la robe qu'une dame est en train d'essayer dans les cabines d'un magasin.
- Payer un magazine à une personne que je ne connais pas, dans un kiosque à journaux.

Si on m'interdisait ces actes demain matin, je me sentirais bien démunie, car c'est ce qui donne un sens à ma vie. J'ai appris récemment que les recherches sur le bonheur ont entraîné la conclusion suivante : l'un des facteurs communs à tout être humain quand il est question de mesurer le bonheur, c'est l'idée de faire une différence dans sa communauté, dans son entourage. Si vous voulez en savoir davantage sur ces études sur le bonheur, je vous recommande le merveilleux livre *Happiness : le grand livre du bonheur*, aux Éditions de l'Homme. Plus de cent experts de la psychologie positive (provenant des quatre coins du globe) y partagent leur vision du meilleur chemin menant au bonheur. Ce livre explore la notion de bonheur à travers des sujets comme le temps, la santé, le succès, l'avenir, la compassion, le bien-être, la génétique, l'humour, la douleur, la liberté d'action et de choix, la famille, les amis, etc.

Cela vous donnera peut-être envie de lire ensuite sur la psychologie positive, qui est, à mon avis, une approche qui mérite d'être connue. Il s'agit de l'étude scientifique du fonctionnement optimal du bien-être.

Quand on en apprend davantage à propos du bonheur, on a envie d'être plus heureuse et, quand on est heureuse, on a envie de faire plaisir aux autres et, quand on fait plaisir aux autres... ça pétille de partout !

Et alors?

Parfois, on veut tellement éviter toute souffrance qu'on prend inconsciemment des décisions qui nous font souffrir davantage. En amour, par exemple, la peur est souvent au rendez-vous : peur d'être abandonnée sans avoir rien vu venir, peur d'être trompée, peur de se faire niaiser, peur de faire de mauvais choix... On ne veut tellement pas ressentir ces peurs, être en contact avec elles, qu'on va tout faire pour s'en éloigner et choisir la solution facile, celle de ne pas aimer ou d'aimer moins qu'on ne sait le faire. On se dit : « Quand j'aime, ça fait mal, alors je n'aimerai plus comme avant. »

On se sait capables d'aimer davantage, on s'imagine vivre une belle relation amoureuse, on la désire sincèrement, du plus profond de notre cœur, mais on a peur de souffrir... Pourtant, la douleur liée à ce choix de fuir sera plus intense encore, car se priver d'aimer et d'ouvrir son cœur fait souvent plus mal à long terme que d'affronter ses peurs.

Accepter sa peur et vouloir la comprendre est, selon moi, la seule façon d'arriver à faire la paix avec elle. Il existe une technique que j'aime beaucoup et qui m'aide à m'affranchir de mes peurs : la technique des flèches descendantes. Je m'en sers régulièrement pour aller au bout d'une peur ou d'une croyance. Aussi appelée *bottom line*, cette technique issue des thérapies cognitivo-comportementales

(TCC) permet d'explorer des scénarios construits par le patient dans le cas de situations qu'il évite ou redoute. J'ai dû l'utiliser plus de cent fois dans ma vie, et elle m'a toujours éclairée.

Tout comme je le fais avec mes amies, je vais vous expliquer comment vous en servir pour voir clair dans une situation problématique qui vous trouble.

Prenez d'abord une feuille et un crayon. Écrivez une phrase qui résume clairement la situation qui vous irrite, sous forme d'énoncé ou de fait précis. Par exemple :

- il ne me reste que cinq cents dollars dans mon compte ;
- mon *chum* ne m'appelle pas assez souvent ;
- mon adolescent ne fait pas le ménage de sa chambre ;
- certains collègues de travail parlent dans mon dos ;
- ma mère ne se mêle pas de ses affaires.

Sur la ligne suivante, en plein centre, vous écrivez ensuite en gros caractères : « Et alors ? » puis vous dessinez une flèche qui pointe vers le bas, là où vous répondrez à la question, comme ceci :

ET ALORS ?

↓

Quelques lignes plus bas, vous écrivez donc la réponse qui vous vient spontanément en tête, puis vous répétez ces étapes jusqu'à ce que vous n'ayez plus de réponse au « et alors ? ». À ce moment-là, vous arrivez précisément au cœur, à l'essence même de votre peur. Voilà le matériau brut qu'il vous faudra « travailler ».

Si vous saviez les belles surprises que j'ai pu avoir en faisant cet exercice ! De vraies révélations sur moi...

Grâce à cette technique, j'ai réussi à venir à bout d'une peur récurrente qui m'a assaillie à quelques reprises pendant les premiers mois de ma vie amoureuse : la peur que, du jour au lendemain, mon histoire d'amour avec Cœur Pur cesse sans crier gare.

Voici la transcription complète du « et alors ? » que j'ai rédigé il y a six ans. C'est ma grande amie Anne-Marie qui m'a incitée à vous en faire part, après que je le lui ai lu au téléphone. Elle m'a dit : « Il faut que tout le monde connaisse ça. » J'ai donc pensé que ça pourrait vous inspirer. Aucun mot n'a été changé. Quand je l'ai écrit, j'étais dans un état de grand désarroi, aux prises avec une énorme boule d'angoisse dans l'estomac causée par la peur que tout s'arrête avec mon *chum*, la peur de l'abandon.

Le fait :

J'ai peur que mon chum *ne veuille plus continuer notre relation.*

ET ALORS ?

↓

Je serais estomaquée.

ET ALORS ?

↓

Je ne croirais plus en l'amour.

ET ALORS ?

↓

Je me sentirais trahie.

ET ALORS?

↓

J'aurais de la difficulté à faire confiance à la vie de nouveau.

ET ALORS?

↓

J'en arriverais à la conclusion que l'amour est impossible pour moi, que je ne le mérite pas.

ET ALORS?

↓

J'aurais l'impression que je ne peux pas me fier à la vie, je me demanderais pourquoi elle m'a conduite vers lui de façon si magique, si c'était pour se terminer.

ET ALORS?

↓

Je remettrais en question mon radar, mon intuition.

ET ALORS?

↓

Je perdrais la connexion avec moi-même.

ET ALORS?

↓

Je n'aurais plus le goût de vivre, car mon désir de vivre passe beaucoup par cette confiance que j'ai en la vie, par cette ouverture que j'ai à recevoir les cadeaux de la vie.

ET ALORS?

↓

Je me refermerais.

ET ALORS?

↓

Je ne serais plus capable d'avoir mon cœur d'enfant, émerveillé, naïf et tendre.

ET ALORS?

↓

Si je sens que la vie m'en a passé une p'tite vite, je vais me déconnecter de ma source.

ET ALORS?

↓

Ça ne vaudra plus la peine de vivre.

Au moment où j'ai écrit les derniers mots, des larmes se sont mises à couler sur mes joues. Des larmes de joie, car j'ai compris que ma vraie peur n'était pas que mon *chum* mette fin à notre relation, mais plutôt d'être abandonnée par la vie. J'ai compris que, si jamais mon *chum* décide de me quitter sans crier gare, ça voudra dire qu'il n'était pas le compagnon qu'il me fallait pour poursuivre ma route et que la vie a choisi de me le faire savoir rapidement, grâce à cette connexion directe et puissante que j'ai avec elle.

Après avoir terminé l'exercice, j'ai repris mon crayon et la vie m'a écrit un petit mot d'amour :

Tu comprends maintenant, Marcia, que si ton amoureux t'est enlevé, ce sera pour te protéger, car la Vie aura jugé que cette relation n'est plus adéquate pour toi. La vie ne s'est jamais trompée, elle ne t'a jamais trompée et elle ne te trompera jamais tant que tu t'appliqueras à ne jamais te déconnecter d'elle.

Wow, wow et re-wow! Je venais de comprendre que, tant que je m'abandonnerais à la vie, je ne vivrais jamais le sentiment d'être abandonnée par elle.

Je vous souhaite bonne chance pour les séances de « et alors? » que vous entreprendrez. Vous verrez, elles vous permettront de vivre une vie comme vous l'aimez, flèche après flèche.

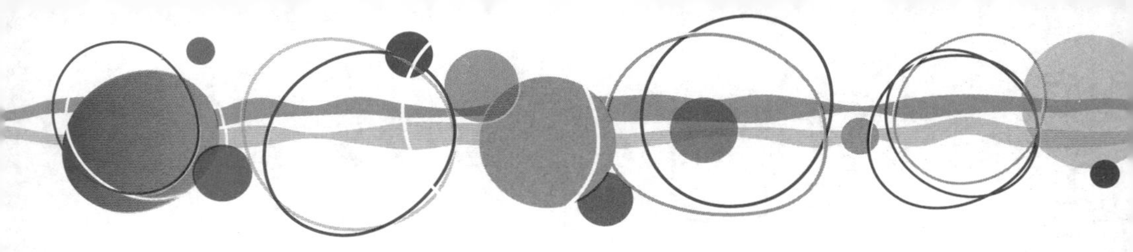

Je fais ça, des fois

Lorsqu'on est parent, on enseigne à nos enfants qu'ils doivent adopter un comportement exemplaire. Une fois sur deux, ils n'y parviennent pas et on doit les ramener à l'ordre… mais qu'en est-il de nos comportements à nous, en tant qu'adultes qui ne se font plus disputer? Vous, agissez-vous toujours de manière exemplaire? Moi, non. Des fois, il m'arrive…

- De jouer à cache-cache dans les allées de l'épicerie lorsque je croise quelqu'un que je connais, mais à qui je n'ai pas envie de parler ce jour-là. Puis d'arriver à la caisse… pour tomber face à face avec la personne que je fuyais et devoir faire semblant d'être contente de la voir.

- D'utiliser du shampoing sec en aérosol quand ça ne me tente pas de me laver les cheveux. Même si je sais que c'est mauvais pour l'environnement, que c'est de la pure paresse de ma part… Cinq ou six utilisations par année, c'est pas la fin du monde!

- De faire croire à mon *chum* et aux enfants que j'ai un gros travail de recherche à rendre le lendemain et que je dois aller à la bibliothèque. En réalité : je vais faire une sieste dans mon *camper*, au bord de l'eau, à cinq minutes de la maison.

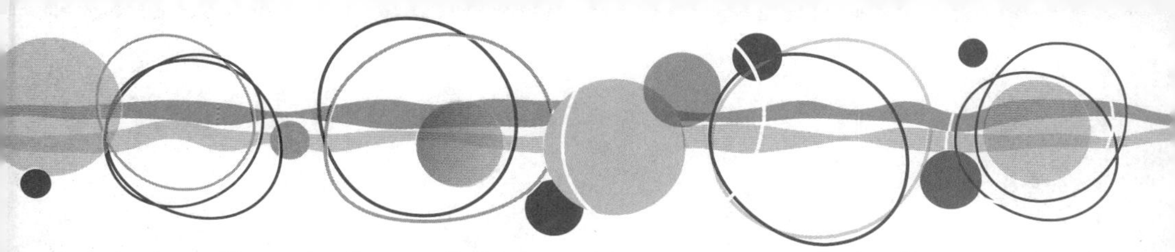

- De me cacher et de faire semblant que je ne suis pas là quand ça sonne à la porte.
- De manger des raisins et des cerises pendant que je fais mon épicerie… et de mettre les noyaux dans ma sacoche!
- De goûter une généreuse portion d'un produit offert en dégustation à l'épicerie, d'en mettre une boîte dans mon panier en ayant l'air intéressée… et de la déposer sur un étalage deux rangées plus loin, pour m'en débarrasser!
- De m'organiser pour être démaquillée quand j'ai une commission à faire près d'une pharmacie, vers vingt et une heures trente, pour aller me badigeonner le visage d'une crème de nuit hors de prix avant de rentrer me coucher. Pendant un temps, c'était presque devenu une obsession: j'y allais deux fois par semaine et dans des pharmacies différentes pour ne pas me faire prendre! Mon truc pour faire ça discrètement? J'ouvre le pot de *tester*, je mets une noix de crème dans le creux de ma paume et je vais l'appliquer une allée plus loin. J'attends ensuite une dizaine de minutes pour la laisser pénétrer, pour ne pas arriver à la caisse avec le visage tout huileux. De retour dans mon lit, je m'endors, persuadée que la crème à cent dollars fera un excellent travail pendant la nuit!
- De dire à quelqu'un que son bébé est beau, alors que je le trouve vraiment laid. Je n'ai jamais trouvé les bébés naissants très «avantagés par la nature». Ils sont plissés, ils louchent et n'ont pas de cou, alors oui, ils sont rarement mignons à croquer.
- De parler illégalement au cellulaire en conduisant et, à la vue d'une voiture de police, de lancer mon appareil sur le siège du passager en faisant semblant de m'étirer.
- De faire des grimaces menaçantes aux enfants turbulents quand leurs parents ont le dos tourné, et d'afficher un beau sourire innocent lorsque ceux-ci se retournent vers moi.

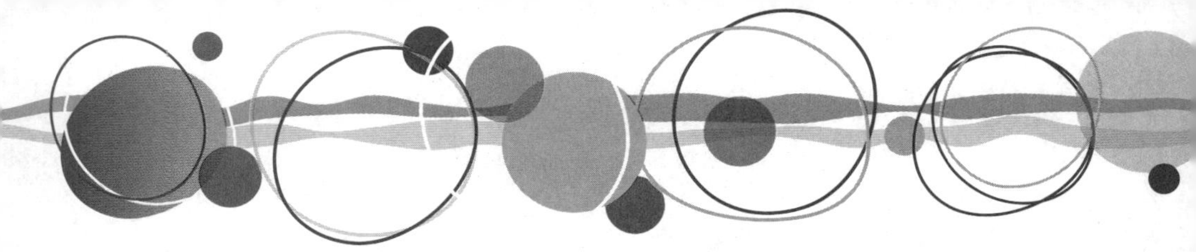

- De faire semblant, pendant une conversation en groupe, de savoir de quoi tout le monde parle, surtout quand tout le monde a l'air informé sur le sujet. (Peut-être qu'ils font tous semblant comme moi, au fond!)
- De faire comme si j'avais compris quand ça fait quinze fois qu'on m'explique la même chose, pour que mon interlocuteur ne s'impatiente pas ou ne me trouve pas cruche.
- De frapper sur une distributrice quand mon sac de chips reste coincé en B15, alors que je suis AFFAMÉE. Je deviens carrément possédée, je sacre et je vire au rouge. Il n'y a RIEN au monde qui m'insulte plus!
- De me faire passer pour la gardienne des enfants de madame Pilote quand, par mégarde, je réponds à un sondage téléphonique.
- De refiler quelqu'un qui raconte une histoire plate à mourir à ma sœur Brigitte, pour m'en débarrasser. Comment? En affirmant qu'elle est passionnée par le sujet dont il est question : « Je vais vous laisser discuter en tête à tête avec ma sœur, qui, justement, adoooore les voitures antiques... »
- D'aller aux toilettes pendant que je parle au téléphone et de cacher le bas du combiné pour que mon interlocutrice ne s'aperçoive de rien... jusqu'à ce qu'elle me demande : « Es-tu toujours là? » après trente secondes de silence.
- D'effacer les émissions et les films ennuyants des enfants lorsque je vois qu'il n'y a plus beaucoup d'espace sur l'enregistreur numérique. Quand ils les réclament, je dis que c'est un accident et que je me suis sûrement trompée de bouton.
- De me débarrasser des morceaux de bois rongés par les castors que mon *chum* m'offre quotidiennement. J'en ai environ trois cents! Certaines femmes reçoivent des fleurs en cadeau;

moi, je reçois des bouts de bois... Chaque fois que je dis à mon *chum* : « Je n'ai plus de place pour les entreposer ! » il me répond : « Oui, mais regarde celui-là comme il est spécial ! » Le problème, c'est qu'à ses yeux, chaque morceau rongé est spécial. Pour ma part, franchement, je trouve qu'il n'y a rien de plus identique à une trace de dents de castor... qu'une autre trace de dents de castor. Je vois bien qu'il est ému de m'offrir ces cadeaux de la nature, et il serait vraiment peiné de savoir que je leur « rends leur liberté », alors je le fais en cachette. Vers minuit le soir, au chalet, je me dirige dans le bois pour les restituer à la forêt sans qu'il s'en aperçoive. C'est fou, mais je tremble de nervosité, car j'ai toujours peur de voir surgir Cœur Pur entre deux arbres ou, pire, un castor qui viendrait me mordre pour me prouver que ses marques de dents SONT différentes de celles de ses amis castors !

Pour le moment, ma liste comporte seulement dix-huit éléments... mais j'ai le pressentiment que le chiffre gonflera avec les années !

Un « échantillon » de tous les bouts de bois que Cœur Pur me rapporte...

Jour de pluie

J'aime tellement la pluie! S'il y avait des clubs d'amateurs de pluie, je serais nommée présidente d'honneur sur-le-champ. On se rassemblerait à quelques reprises pendant l'année, en espérant qu'il pleuve ces jours-là, on ferait des dégustations d'eau de pluie, on écouterait les concerts qu'offre la nature après la pluie, on respirerait l'odeur particulière dégagée par les arbres, la terre et la pelouse mouillés, on échangerait des idées d'activités à faire lorsqu'il pleut...

Pourquoi j'aime tant la pluie? Parce qu'elle m'autorise à rester à l'intérieur. À l'intérieur de ma maison, mais aussi à l'intérieur de moi, de mes pensées, et il n'y a rien que j'aime plus que ça. La pluie me permet aussi de vivre ma différence: je suis une asociale qui adore l'être humain. Paradoxal, non?

En d'autres mots, j'aime le monde, les femmes avec un grand F, les hommes avec un grand H, mais je déteste les activités sociales. J'en parle rarement pour ne pas passer pour une vieille chipie, mais c'est la vérité. Je ne dois pas être la seule à penser ainsi, mais je suis probablement une des rares qui soit capable de le dire et de revendiquer son droit à la solitude, son droit de dire non à ce genre d'activités, à ne pas se sentir obligée d'y prendre part.

Les seuls rassemblements qui me font plaisir et qui m'apportent beaucoup sont les rencontres familiales intimes et mes rencontres

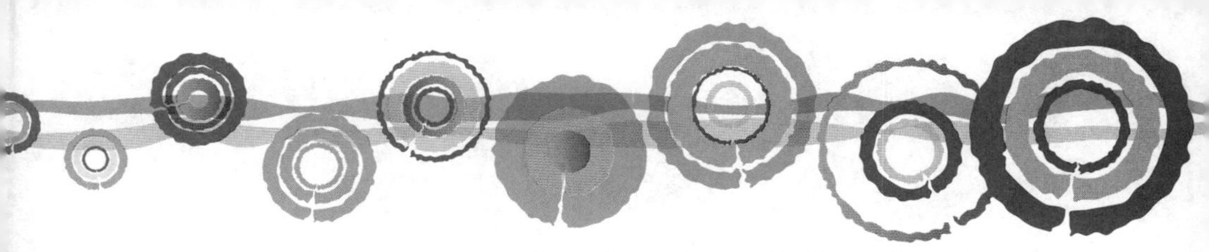

avec vous, chères lectrices (dans les salons du livre, lors de mes conférences, etc.). Tout le reste, je m'en passerais volontiers :

- party de bureau ;
- cinq à sept ;
- soirée jet set sur tapis rouge ;
- mariage ;
- *shower* de bébé ;
- enterrement de vie de jeune fille ;
- party de piscine ;
- soirée karaoké ;
- souper meurtre et mystère ;
- soirée jeux de société ;
- souper au resto pour un anniversaire ;
- souper pour souligner le départ à la retraite d'un collègue ;
- lancement de disque ou de livre ;
- soirée-bénéfice ;
- tournoi de golf...

... et j'en oublie sûrement plusieurs, car des occasions de se rassembler, ce n'est pas ce qui manque.

Pourquoi je déteste autant ce genre de rassemblements ? Parce que, chaque fois que j'y vais, je reviens terriblement déçue ou frustrée. J'ai toujours le sentiment qu'il ne s'est rien passé de mémorable, qu'on n'a pas parlé des vraies affaires. J'ai l'impression d'avoir perdu mon temps, mon argent, ma salive et mes idées. On discute du buffet, des cadeaux, de la déco, mais on dirait que personne ne se rend compte de la chance qu'on a de se retrouver tous ensemble, au même endroit. On devrait se ficher éperdument de la qualité de la bouffe, de la beauté de la tapisserie ou des interminables récits de chasse de mononque Roger. On devrait plutôt en profiter pour faire de ces rencontres des moments inoubliables. Le but? Rentrer chez nous avec un PLUS plutôt qu'un MOINS dans l'équation de notre vie. Plus de courage, parce que Roger nous a parlé de sa chimio; plus de joie, parce que Nadine nous a fait rire aux larmes en nous racontant sa dernière visite chez le dentiste; plus d'humanité, parce que tante Yvette nous a parlé de sa mort imminente; plus de réponses, parce que cousin Jonathan nous a raconté comment il vivait son homosexualité... Je ne veux pas revenir d'un événement avec moins d'énergie ni l'envie de revivre ces expériences!

Ce que je souhaite savoir à propos des gens qui me font le cadeau de leur précieux temps, c'est comment ils arrivent à devenir de meilleurs êtres humains, jour après jour. Qu'est-ce qu'ils ont appris de la vie? Pour ça, il faut être un interlocuteur soucieux de poser les bonnes questions. Pas les questions auxquelles on sait qu'on n'aura pas de réponse enrichissante, du genre:

– Qu'est-ce que tu fais de bon ces jours-ci?

– Pis, ta piscine? As-tu réussi à la partir?

– Qu'est-ce que vous faites pendant les vacances?

– Tu t'es acheté un nouveau char?

– As-tu beaucoup de travail, par les temps qui courent?

Au salon mortuaire, pendant la réception suivant le service funéraire, je m'étonne toujours d'entendre les gens parler de *business*, d'argent ou de leur plus récente acquisition matérielle. Lorsque la conversation à laquelle je participe prend cette tournure, je suis celle qui dit «je refuse de parler de ça ici», et je ramène la conversation sur la personne pour qui on est réunis en posant des questions comme:

– Quel était votre lien avec la défunte?

– Quel souvenir allez-vous garder d'elle?

– Qu'est-ce que le défunt vous a laissé de plus précieux pendant son passage sur terre?

– Quelles étaient ses valeurs les plus importantes?

Règle générale, je préfère les rencontres improvisées à celles planifiées. J'aime me laisser guider, j'aime que ce soit la vie qui tienne mon agenda social, car cela me permet de vivre des moments magiques et inoubliables.

Me faire inviter à souper, un samedi, par Ginette et Daniel, ce couple d'inconnus rencontré au Salon du livre de l'Abitibi. Y aller avec grand plaisir et passer une soirée mémorable à découvrir de belles personnes qui m'ont raconté leur parcours, qui se sont ouvertes à moi sans censure. On a pleuré, on a ri, il n'y avait pas d'appareil photo, alors on a imprimé ces souvenirs sur la pellicule de nos cœurs...

Ou, encore, aller à l'improviste faire un tour chez Jacques, un téléspectateur de Ripon qui m'avait écrit lorsque j'animais l'émission *C'est ça la vie*: «Tu viendras nous voir, en allant à ton chalet, un de ces quatre! C'est sur ton chemin.» Eh bien, je l'ai fait, un dimanche. En route, j'ai appelé Jacques en lui disant: « J'arrive!» M'asseoir à sa table, manger une pointe de quiche que Lorraine (eh oui! Je peux vous confirmer que les Lorraine font les meilleures quiches lorraines!) venait de sortir du four et passer une heure émouvante en leur compagnie. Ne pas savoir si j'allais les revoir, mais les porter dans mon cœur longtemps...

Aller faire du camping sur le terrain d'une amie et chanter des chansons le soir, autour du feu, en compagnie de nos filles. Se raconter des *jokes* et se coucher le cœur heureux, tendre comme de la guimauve.

L'improvisation, c'est un peu tout ça.

Parfois, en conférence, je donne l'exemple suivant. Imaginez que la vie vous offre cinq cents dollars en billets de vingt. Ils sont à vous, vous pouvez en disposer comme bon vous semble, sans culpabilité. Vous pouvez vous acheter deux robes à deux cent cinquante dollars chacune, regarnir votre bibliothèque ou même aller vous faire faire six massages si ça vous chante... Vous sentiriez-vous obligées d'en donner à une voisine dans le besoin? Iriez-vous dépenser cent dollars en équipement de sport si vous n'êtes pas sportive? Accepteriez-vous que quelqu'un pige dans vos poches et vous prenne soixante dollars sans vous en demander la permission? La réponse à toutes ces questions est sûrement non. Pourquoi? Parce que l'argent est précieux, difficile à gagner et, quand on en a en surplus, on sait évaluer où on souhaite le dépenser et on traite toute demande ou tout désir avec jugement (dans la plupart des cas). Si les billets de vingt dollars de mon exemple étaient du temps, accepteriez-vous que les gens viennent piger dans votre banque sans vous en demander la permission? En donneriez-vous nonchalamment sans vous questionner? Malheureusement, cette fois je parie que vous avez répondu oui. Pas parce que vous le voulez, mais tout simplement parce que c'est difficile de dire non quand l'argent n'est pas en cause. « Allez-y, servez-vous, c'est pas grave! Prenez-en tous, de mon temps. Quatre heures par-ci, quatre heures par-là... »

Quel est le rapport avec la pluie? me demanderez-vous. Lorsque je me lève et qu'il pleut dehors (surtout l'été et la fin de semaine), mon cœur s'ouvre plus largement qu'à l'habitude, car il sait qu'il aura tout son temps. Que son désir de solitude, d'introspection et de tranquillité sera respecté. Les jours de pluie, chaque goutte qui tombe du ciel, sur mon toit, sur les vitres de mes fenêtres ou sur moi, chaque goutte vient me rappeler qu'il y a quelque chose de plus grand.

À genoux

Quand je repense à l'époque où j'étais mère de jeunes enfants, je me vois souvent :

- À genoux, en train de fouiller dans le sac à couches pour trouver « l'affaire » dont j'avais besoin. Virer ledit sac à l'envers et me dire : « Malgré ses vingt-cinq pochettes et tout ce qu'il peut contenir, la seule chose qui me sauverait la vie en ce moment ne s'y trouve pas ! »
- À genoux, au pied de la chaise haute, pour essuyer la purée qu'Adèle venait de lancer par terre en riant à gorge déployée… jusqu'à ce qu'elle décide de viser mon visage et que la purée de carottes dégouline entre mon œil droit et ma lèvre supérieure.
- À genoux, penchée au-dessus de Madeleine, pour lui enlever son pyjama à pattes en lui chantant des chansons. Elle était toujours de mauvaise humeur, le matin, alors, pour bien commencer la journée, je lui chantais des comptines. En réalité, je ne chantais pas vraiment, j'imitais Cannelle et Pruneau. (Un jour, si on se rencontre, demandez-moi de vous faire cette imitation, vous n'en reviendrez pas ! C'est pareil !) Et, devant tous mes efforts et mes mimiques rigolotes, tout

ce que Madeleine trouvait à dire, c'est que j'avais mauvaise haleine...

- À genoux, les bras ouverts, quand mes enfants ont fait leurs premiers pas et qu'ils se sont lancés dans mes bras.
- À quatre pattes, pour essayer de trouver la niche du petit chien Fisher-Price qui avait roulé sous le divan du salon. (J'ai tellement joué au petit chien, tous les jours, avec Madeleine... Je n'étais plus capable de voir ces p'tits maudits jouets en plastique ! Son gros *fun* était de les mettre en punition dans la craque du divan... Que de plaisir.)
- À genoux, pour vérifier cinquante fois qu'il n'y avait aucun monstre sous le lit d'Adèle.
- À genoux, dans le vestiaire, après un cours de natation, pour enlever le maillot de bain de Madeleine qui pleure, parce qu'elle ne voulait pas sortir de l'eau. (Y a-t-il quelque chose de plus collant qu'un maillot mouillé sur la peau ? Très difficile à enlever, surtout quand l'enfant fait le bacon par terre !)
- À genoux, à faire du mime pour tenter d'expliquer à ma fille de deux ans comment se moucher. Mais tout ce qu'elle voyait, avec ses yeux d'enfant, c'est une maudite folle à quatre pattes qui soufflait exagérément l'air de son nez et qui hyperventilait des narines. Peine perdue !
- À genoux, à côté du bain, pour laver mon enfant qui hurlait, oubliant que sa bouche était à deux centimètres de mon oreille et qu'il était en bien mauvaise position pour m'écœurer.
- À genoux, devant mes filles, pour les regarder droit dans les yeux pendant que je leur donnais un avertissement qui, généralement, se terminait par : « Tu m'as bien comprise ? »
- À genoux, à côté de la cuvette des toilettes, pour les accompagner quand elles avaient la gastro.

- À genoux, pour croquer les belles joues rouges et froides de mes filles qui rentraient de l'extérieur, l'hiver.

À genoux, souvent, sans nous poser de questions… Parce qu'on sait que c'est ce qu'il faut faire. Et plus vous avez grandi, mes filles, moins j'ai été forcée de me mettre à genoux. Vous auriez aimé que je continue de tout faire pour vous, mais je savais qu'il ne le fallait pas, qu'il ne le fallait plus. Pour vous élever, j'avais le devoir de me relever.

Ça me fait penser à la magnifique chanson d'Anne Sylvestre qui a pour titre *Ma chérie*. Je pleure chaque fois que j'écoute ce dialogue entre une mère et sa fille. À mon trente-cinquième anniversaire, Adèle et Madeleine m'avaient bricolé une grosse carte avec des ailes en tissu, et elles y avaient recopié intégralement les paroles de la chanson. En voici deux couplets :

– Moi, je t'ai lissé les ailes, Ma chérie.
– Mais je peux lisser les tiennes, Moi aussi.
– Ça ne se fait pas si vite,
Déjà tu ne comprends plus.
Tu as l'âge de la fuite ;
Moi, celui du déjà-vu.
– Mais tu restes à ras de terre !
– Celle où je t'ai fait marcher.
– Mais pourquoi toujours te taire ?
– Il le faut pour t'écouter[2].

Ça fait des années que je ne me suis pas mise à genoux devant un enfant pour la simple et bonne raison qu'il n'y a plus de tout-petits autour de moi. Il n'en demeure pas moins que je pense à toutes les femmes qui le font plusieurs fois par jour, aux hommes de mon

---

2. Anne SYLVESTRE, *Ma chérie, Anne Sylvestre et Alice*, 1979.

entourage qui, à l'âge de cinquante ans, ont une deuxième famille et doivent recommencer à se pencher après une longue pause... Leurs genoux craquent davantage, mais ils le font encore avec le même plaisir, sinon plus, parce qu'ils savent que c'est probablement la dernière fois.

Dans quelques années, je serai grand-maman. Ce sera à votre tour, mes filles, de vous mettre à genoux. À ce moment-là, vous ne saurez pas à quel point c'est important. Mais moi, oui. Je m'agenouillerai devant mes petits-enfants et je me souviendrai de vous, mes si belles, quand vous étiez jeunes. Ça me donnera sûrement envie de pleurer, car le temps passe tellement vite, mais je penserai alors à vos ailes, grandes ouvertes...

À genoux, pour me faire prendre en photo avec mes filles.
À gauche: avec Madeleine. À droite: avec Adèle.

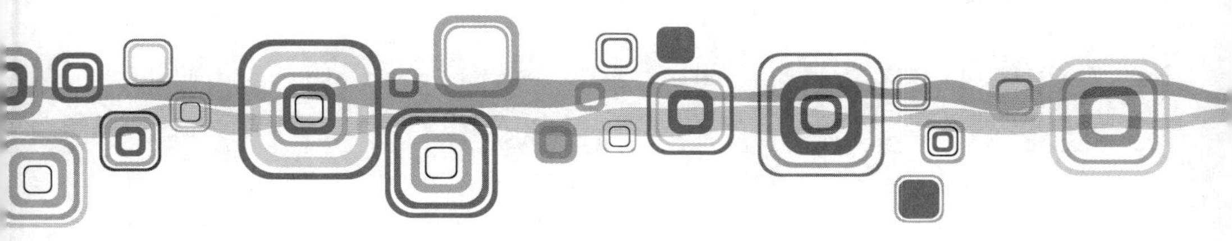

J'ai longtemps pensé que...

Si quelqu'un que vous aimez vous dit que vous avez changé, répondez-lui :

– J'espère bien que j'ai changé !

Vous imaginez un peu de quoi on aurait l'air si on gardait la même mentalité jusqu'à notre mort ? Notre évolution en serait lourdement hypothéquée ! Nous changeons parce que la somme de nos expériences nous amène à voir les choses sous un autre angle et à tirer des conclusions parfois contraires à ce que nous pensions auparavant.

Je me suis amusée à répondre à la question suivante : qu'est-ce que je croyais être vrai, il y a quelques années, et à quoi je ne crois plus aujourd'hui ?

- J'ai longtemps pensé que les femmes qui se posaient le moins de questions étaient les femmes les plus heureuses. Avec le temps, j'ai compris que c'était plutôt le contraire. Plus on se pose de questions, plus on trouve des réponses. Plus on trouve des réponses, plus on a l'esprit libre, et plus on a l'esprit libre, plus on est heureuse !
- J'ai longtemps pensé qu'un jour je trouverais ma place, alors que, finalement, c'est elle qui m'a trouvée. J'ai compris que je

n'avais pas à changer de place pour me trouver, car ma place, c'est là où je suis!

- J'ai longtemps pensé que, si je changeais, j'allais être une meilleure personne. Puis j'ai compris que le temps passé à essayer de changer, c'est du temps perdu, loin de celle que je suis vraiment. Lorsque je suis moi-même à temps plein, il ne me reste plus une minute de libre pour essayer de changer!
- J'ai longtemps pensé que je devais me faire pardonner d'être celle que je suis, celle qui prend de la place, qui dénonce des choses qui n'ont pas de sens... On demande pardon lorsqu'on pense qu'on a fait quelque chose de pas correct. Je serais donc «faite pas correcte» et il faudrait que je m'en excuse? Au contraire. Avec les années, je me rends compte que les gens qui ne m'aiment pas sont ceux qui devraient s'excuser. Ce sont eux qui doivent me demander pardon de m'avoir fait croire que *je* devais m'excuser d'exister, d'être.
- J'ai longtemps pensé que j'avais un défaut de fabrication et j'ai cherché longtemps le magasin qui allait me réparer... jusqu'à ce que je comprenne qu'il n'y a rien à réparer. Juste quelques petites choses à «ajuster».
- J'ai longtemps pensé que tout le monde était gentil, jusqu'à ce que je comprenne que ce n'était pas le cas et qu'il me fallait développer des stratégies pour empêcher le sabotage des autres de m'atteindre.
- J'ai longtemps pensé qu'il n'y avait qu'une vérité. Maintenant, je sais que tout le monde a raison et que chaque personne a sa vérité.
- J'ai longtemps pensé qu'un jour quelqu'un allait découvrir mon talent et me ferait signer de gros contrats (comme dans les films). Le jour où j'ai reconnu mes talents spéciaux,

j'ai compris. Et, ce jour-là, j'ai sorti un crayon et je me suis moi-même mise sous contrat... à vie.

- J'ai longtemps pensé que je devais attendre la permission des autres pour aller au bout de ce que je voulais vraiment. Puis, j'ai compris ceci : tant que je n'éliminerai pas de ma vie ce qui m'empêche de m'autoriser à faire ce que je veux vraiment, je n'y arriverai jamais.

- J'ai longtemps pensé que je prenais trop de place et que ça en enlevait aux autres. J'ai compris que je prends *ma* place et que les autres n'ont qu'à prendre la leur. Je ne peux pas leur enlever ou leur donner une place qu'ils ne revendiquent pas ou dont ils ne savent même pas qu'elle leur revient.

- J'ai longtemps pensé qu'un jour j'arriverais à tout faire dans une journée. En me couchant un soir, j'ai compris que la question à se poser n'est pas : « Est-ce que j'ai réussi à FAIRE tout ce que j'avais prévu faire aujourd'hui ? Mon ménage, mon lavage, mes commissions, ma comptabilité, le gâteau de fête de ma fille, les bords de pantalon de mon *chum* ?... » Mais plutôt : « Est-ce que j'ai réussi à ÊTRE celle que je voulais être aujourd'hui ? Être plus patiente avec mes enfants, capable de dire véritablement ce que je pense, amusante pour dédramatiser une situation, en contact avec ma source intérieure, une personne inspirante pour les autres ? »

- J'ai longtemps pensé qu'un jour, lorsque j'aurais appris toutes mes leçons de vie, j'allais pouvoir commencer à vivre. J'ai compris que des leçons, il y en aurait toujours et que, le jour où il n'y en aura plus, c'est que je serai morte !

- J'ai longtemps pensé que j'étais obligée d'écouter les interminables récits anecdotiques des autres, même s'ils ne m'intéressaient pas. J'ai compris que j'avais le droit de zapper poliment, quand cette situation se produisait.

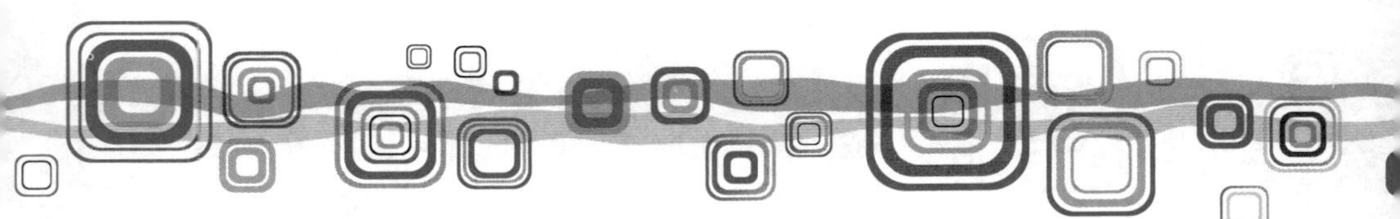

- J'ai longtemps pensé qu'à l'approche de la cinquantaine je «freakerais». J'ai compris que la seule chose désagréable dans le fait de vieillir, c'est qu'on ne vit plus les expériences en se disant que c'est la première fois, mais plutôt en pensant que c'est peut-être la dernière.
- J'ai longtemps pensé qu'il fallait se battre pour obtenir ce qu'on veut. J'ai compris qu'il fallait fournir des efforts, mais qu'il ne faut jamais forcer.
- J'ai longtemps pensé que les autres étaient plus méritants que moi. J'ai compris que tout le monde mérite l'amour, l'argent, la réussite, etc., autant que les autres, mais ce qui fait la différence, c'est ce que chaque personne *croit* mériter.
- J'ai longtemps pensé que, pour avoir le droit de m'asseoir et de lire, il fallait que j'aie coché tous les éléments sur ma liste de choses à faire. J'ai appris que, si je fonctionnais de cette façon, je ne lirais jamais, car il y aura toujours des points à cocher.
- J'ai longtemps pensé que je ne pouvais pas dire ceci ou faire cela, par peur de perdre. J'ai compris que c'est quand on n'a plus peur de perdre qu'on commence véritablement à gagner.

Et vous, de quoi aurait l'air votre liste de «j'ai longtemps pensé que...»?

Car, je ne sais pas si vous êtes au courant, mais vous aussi, vous avez changé!

Et je souhaite vous entendre me répondre: «J'espère bien!»

Ma vie en 3 F

On me demande souvent de définir ce qu'est « une vie comme on l'aime ». Ma réponse est simple : c'est une vie où on peut être soi-même, un peu plus chaque jour. Mais comment arrive-t-on à se concentrer sur l'« être », plutôt que sur le « faire » et l'« avoir » ? Je vous propose une piste de mon cru : remplacer les 3R par les 3F.

Que sont les 3R ? **R**ésistance, **r**igidité et **r**étention. Plus on est rigide, moins on est ouverte et disposée à recevoir ce que la vie a à nous offrir. Il y a un terme en psychologie pour parler des gens qui refusent le changement et tiennent à leurs idées, même si elles les rendent malheureux : la psychorigidité. Dites-vous que, tant qu'il y a de la peur, du contrôle et la présence de l'ego, ce sont les 3R qui régissent notre vie.

La rigidité nous empêche d'envisager des scénarios qui seraient encore plus avantageux pour nous, parce qu'on se dit : « C'est comme ça que ça marche et pas autrement ! » Nous n'ouvrons pas notre esprit à d'autres façons de faire et d'être qui pourraient nous mener encore plus loin que ce qu'on peut s'imaginer.

La résistance nous oblige à « forcer » pour avancer contre *notre* courant, celui qui nous demande de le suivre. En résistant, nous fermons toutes les valves qui pourraient laisser passer ce dont nous avons besoin pour atteindre nos buts.

Quant à **la rétention**, c'est l'acte de retenir tout ce que nous devrions laisser aller pour ÊTRE, à cent pour cent. La rétention, c'est le contraire du lâcher-prise.

Avec les 3R, les frustrations, les irritants, les freins et le découragement sont toujours au rendez-vous. Lorsque vous en prendrez conscience, vous aurez envie de vous orienter autrement afin de mettre le cap sur les 3F : **f**acilité, **f**luidité, **f**ierté.

Depuis que j'ai seize ans, tout le temps, l'argent, l'énergie que j'ai déployés pour « travailler sur moi » m'ont menée à vivre ma vie en 3F. Le jour où j'ai consenti à remplacer les 3R par les 3F, j'ai pu commencer à respirer par le nez.

Facilité ne veut pas dire qu'on n'aura pas d'efforts à fournir, mais tout simplement que les choses se feront facilement, à notre grand étonnement. Nous utiliserons nos forces et nos talents (c'est-à-dire ce qu'on aime faire le plus au monde et, par conséquent, ce qu'on sait faire le plus facilement). Aussi les personnes qui seront sur notre route pour nous accompagner dans nos projets seront-elles joviales, énergiques, et elles nous soutiendront. Complètement le contraire des 3R, qui s'accompagnent souvent de saboteurs et saboteuses qui font tout pour bloquer nos projets.

Fluidité, parce qu'on suit le courant. Les réponses qu'on cherchait, la façon de procéder, la direction à prendre... tout ça coulera de source, sera clair et limpide.

Et enfin **fierté**, parce que chaque étape du processus que nous franchirons nous procurera un immense sentiment de dépassement de soi, ce qui engendrera de la fierté. Mon amie Danièle Daneau me pose souvent une question, lorsque je lui parle de mes projets :

– De quoi serais-tu fière si tu accomplissais ce projet ?

J'adore cette question. Elle ne me demande pas :

– Comment vas-tu t'organiser pour faire ça?

– Qui pourrait t'aider dans ton projet?

– Combien veux-tu d'inscriptions?

– Quand veux-tu que ça se produise?

– De combien d'argent as-tu besoin?

Sa question me permet de rêver grand, de m'ouvrir au sentiment du possible, pour ensuite voir mes désirs se concrétiser. Mais, pour y arriver, je dois absolument m'organiser pour que les 3R « prennent le bord ».

Mais comment se fait-il que, même en ayant pris conscience de leur existence, on refuse encore de laisser les 3F gouverner notre vie? La réponse est simple : nos conditionnements, nos croyances collectives, nos peurs et ce qui est valorisé par la société nous poussent à continuer de fonctionner avec les 3R.

Quand quelqu'un affiche sa fierté, que cette personne a l'air d'avoir une vie facile, qu'elle ne se plaint pas, n'a pas trop de « broue dans le toupet », on a envie (inconsciemment, bien entendu) de la ramener sur terre en lui faisant peur, afin qu'elle ne soit pas trop différente de nous. Vous allez peut-être trouver ça bizarre, mais depuis quelques années, j'ai commencé à me plaindre devant certaines personnes simplement pour que celles-ci aient moins envie de saboter mes projets.

Avez-vous remarqué que, dans la vie, il y a deux catégories de gens : ceux qui se plaignent et ceux pour qui tout a l'air facile? Cependant, les gens de la deuxième catégorie (dont je fais partie) rencontrent AUSSI des difficultés, autant que les gens de la première catégorie, mais la différence, c'est qu'ils n'en parlent pas.

Il y a deux ans, j'ai interviewé Francine Ouellette, auteure de plusieurs best-sellers, dont *Au nom du père et du fils* et *Le sorcier*. On pourrait croire qu'au nombre de livres qu'elle a publiés, elle est maintenant millionnaire, mais c'est loin d'être le cas. En entrevue, elle m'a confié : « Je suis millionnaire en temps. » Elle m'a expliqué qu'elle a la chance de faire ce qu'elle aime plus que tout, qu'elle a le temps de réfléchir, de penser, d'écrire à son rythme, bref, de se consacrer à sa passion, mais que, pour cela, elle doit faire le compromis de vivre modestement. Selon elle, passion et fortune sont incompatibles.

Francine Ouellette n'est pas différente de toutes ces personnes qui font ce qu'elles aiment au plus haut point et qui s'empressent de dire : « Ah, mais je ne gagne pas ma vie avec ça, par contre ! » pour faire taire les jaloux. Comme s'il y avait un prix à payer pour avoir la vie professionnelle qu'on aime, dans la facilité, la fluidité et la fierté.

J'aimerais tellement qu'on puisse s'ouvrir à l'idée qu'il est possible de vivre sa vie en 3F sans qu'il y ait de coût afférent. J'aimerais recruter le plus de gens possible dans mon club des 3F afin que la génération qui nous suit puisse avoir plusieurs modèles inspirants. Vous pouvez me dire que je rêve en couleurs et que ce serait trop beau pour être vrai... je vous répondrai que le jour où nous donnerons la priorité à d'autres valeurs que celles prônées par notre société, le jour où nous aurons le courage de changer les choses, de transformer nos peurs en moteur, ce jour-là, nous avancerons véritablement vers la vie que nous avons toujours rêvé de vivre et nous contribuerons à bâtir une société où c'est l'être et non le paraître qui prendra le dessus.

Facilement, « fluidement » et fièrement.

Je termine avec ce conte traditionnel cherokee que j'aime beaucoup et qui résume bien le propos de cette chronique.

Les deux loups

Un vieil Amérindien voulait apprendre une leçon de vie à ses petits-enfants. Il les rassembla donc autour de lui et commença à leur raconter une histoire.

– Les enfants, plus vous grandirez, plus vous prendrez conscience qu'un combat a lieu tous les jours, à l'intérieur de chaque être humain. Et ce combat à mort se tient entre deux loups.

Les enfants le regardaient, étonnés d'apprendre qu'ils avaient des loups en eux.

– L'un des loups est mauvais, poursuivit le grand-père. Il est peur, colère, envie, chagrin, regret, avidité, arrogance, apitoiement, culpabilité, ressentiment, infériorité, mensonge, orgueil, supériorité et *ego*.

L'autre loup, lui, est bon. Il est joie, paix, amour, espoir, partage, sérénité, humilité, bonté, bienveillance, amitié, empathie, générosité, vérité, compassion et foi.

Les petits-enfants réfléchirent quelques minutes, puis l'un d'eux demanda à son grand-père :

– Lequel des deux loups gagnera la bataille ?

– Celui que tu nourris, répondit simplement le vieux Cherokee.

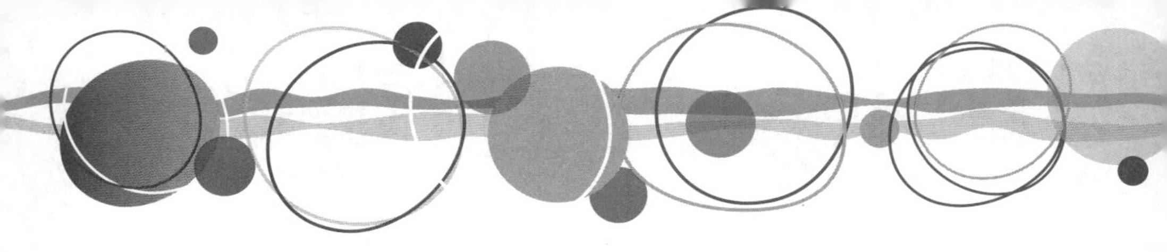

M. Net

– Vingt-cinq ans, la tête dans le four, à récurer!

Vous souvenez-vous de cette publicité à la télé, à la fin des années soixante-dix? Une mégère/ménagère dans la cinquantaine, un fichu sur la tête, est à quatre pattes et elle récure l'intérieur de son fourneau. Elle dit à la caméra qu'elle est vraiment à bout de nerfs, parce qu'elle nettoie cet appareil ménager depuis vingt-cinq ans. Puis, un annonceur lui explique que, maintenant, elle est libérée de cette tâche ingrate grâce à un nouveau produit qui nettoiera à sa place! Cette publicité m'a traumatisée... Je devais avoir sept ans et, chaque fois que je la voyais, je me disais: «Eh *boy*, ç'a l'air plate, être une ménagère!» Cette madame Blancheville ressemblait à une sorcière, et je l'aurais envoyée la tête la première dans son four, comme dans *Hansel et Gretel*.

Je pense que, si, de nos jours, on est un peu plus libérée que notre mère en ce qui concerne les tâches domestiques, c'est grâce à ces publicités ridicules de «ménagères bipolaires» qu'on a subies enfant et qui nous poussaient à penser: «Si j'veux pas finir la tête dans le four comme elle, faut que j'aille à l'université!»

Je vous parle de cette madame Blancheville, mais on pourrait jaser longtemps des personnages de ménagères débiles et déconnectées qu'on nous présente encore aujourd'hui à la télévision. Je crois que certains publicitaires prennent les femmes pour des attardées. Une mère de famille qui jase toute seule dans sa cuisine avec M. Net (un homme sorti tout droit du Village gai) ou une femme qui vit un moment de grande complicité et de tendresse en dansant dans sa cuisine immaculée avec le bonhomme Pillsbury, vous ne trouvez pas que ça frôle la folie?!

Il y a aussi les publicités où les femmes ont beaucoup trop de plaisir à tout nettoyer, comme celle qui lave sa toilette et qui s'extasie devant le beau liquide bleu qui tourbillonne. On dirait presque qu'elle atteint l'orgasme!!!! Et que dire des annonces de Swiffer, où la femme capote et passe son chiffon magique sur toutes les surfaces imaginables: le dessus des armoires, le dessous des lits, l'intérieur de la boîte à gants, le grand-père poussiéreux qui est assis dans son La-Z-Boy, le BBQ, et j'en passe! Si j'étais son mari, je lui dirais: «Je pense que tu vas pas bien, ma belle, tu devrais aller consulter.»

Mais la publicité qui vient me chercher à tout coup, c'est celle d'un nettoyant pour planchers où la femme rit comme une folle parce qu'une gang d'enfants/de macaques du voisinage a roulé sur son beau plancher de cuisine avec tout ce qui a des roulettes: un *skateboard*, un tricycle, une trottinette, une brouette, un monocycle, un fauteuil roulant, une tondeuse, etc. Si ce n'était que ça... mais non, il fallait qu'en plus leurs roues soient PLEINES DE BOUETTE!

Est-ce que ça vous est déjà arrivé d'entendre votre porte s'ouvrir et que, soudainement, une farandole d'enfants à roulettes vienne «cochonner» votre cuisine? Situation peu probable... Et, si ça vous arrivait, auriez-vous une face de «ah mes p'tits coquins»? Leur diriez-vous: «Merci, les enfants, je vais enfin pouvoir essayer mon nouveau produit!» C'est comme rien, ils doivent mettre une substance qui rend débile dans les bouteilles de détergent!

J'ai bien averti mes filles, quand elles étaient petites:

– Si JAMAIS vous arrivez en tricycle avec les voisins dans la cuisine, j'vous envoie directement rejoindre madame Blancheville dans le four !!!

Depuis quelque temps, je remarque une nouvelle tendance publicitaire : l'arrivée du spécialiste, qui entre dans la maison sur ces entrefaites pour prêter main-forte à la pauvre mère de famille qui ne comprend pas pourquoi ses coupes sortent du lave-vaisselle *spottées*. Elle a l'air au bord du burn-out, parce que ses invités sont arrivés et qu'elle ne peut pas leur servir l'apéro dans ces coupes disgracieuses. Son mari, pour l'aider, essaie d'occuper la visite en jouant à *Mimémo* comme un zouf. C'est alors que, magie, LA spécialiste des lave-vaisselle apparaît dans la cuisine pour expliquer à la ménagère qu'elle s'est trompée de savon et qu'elle doit absolument utiliser telle marque de capsules ultranettoyantes pour avoir des coupes propres, propres, propres. Soulagement dans les yeux de la ménagère, comme si on venait de lui enlever un poids de sur les épaules. Pfff !

Le jour où ma vadrouille, mes sachets de détergent ou mes bouteilles de liquide à vaisselle me procureront plus de plaisir que de faire l'amour avec Cœur Pur, de lire un bon livre, de jaser longtemps avec mes amies autour de la table, de philosopher avec les enfants sur la vie, d'aller dîner un mercredi midi chez mes parents ou de rire au téléphone avec ma sœur Brigitte, je vous en supplie, appelez d'urgence ce cher M. Net pour qu'il me sorte de ma cuisine. Nettement.

V'nez pas me faire croire

V'nez pas me faire croire que c'est facile de vivre.

V'nez pas me faire croire que le bonheur est à la portée de tout le monde.

V'nez pas me faire croire que, quand j'aurai rencontré la bonne personne, quand j'aurai des enfants, une maison, un beau tapis d'entrée et peut-être un chien, je serai heureuse et ma vie vaudra la peine d'être vécue.

V'nez pas me faire croire que les gens qu'on voit à la télévision représentent notre réalité. Toujours mince, souriant, bien maquillé, jamais de problèmes, tout le monde il est beau, tout le monde il est gentil, on se retrouve après la pause...

V'nez pas me faire croire que la vie, c'est censé être seulement ce qu'on nous propose.

À partir du moment où j'ai pu observer et penser, avant même de savoir parler, j'ai eu l'impression que le Grand Cuisinier avait oublié quelques ingrédients dans la recette du bonheur qu'il proposait aux adultes. Pourquoi? Je n'avais jamais rencontré un adulte heureux. Des adultes qui voulaient nous faire croire qu'ils l'étaient, ça, j'en ai connu des tonnes, mais une personne rayonnante, inspirante et réjouissante, pas souvent. Ma sensibilité me faisait comprendre que

la plupart des gens portaient en eux des blessures qu'ils tentaient de camoufler. Moi, j'étais tout sauf capable de camoufler.

Alors, je me disais : « Puisque je ne peux pas faire partie de ce groupe, je ne serai dans aucun groupe, car il n'y a pas d'autre option possible. » Toute notre vie, on se fait dire de suivre le chemin. Un seul chemin, tracé par d'autres, une seule façon de faire... Mais moi, j'avais l'intuition qu'on nous avait caché le chemin. Je me disais que je réussirais bien à le trouver, avec ma boussole à moi, « gossée » avec ma sensibilité.

Lorsque j'ai réussi à cesser de croire que je n'étais pas normale, lorsque j'ai cessé de vouloir rentrer dans le rang, j'ai trouvé mon chemin. Comme si des portes s'étaient ouvertes devant moi, parce que je venais de trouver LA formule magique, ma formule de vie.

Et, depuis, je marche sur une route que je sais être mienne. Une route qui me mène je ne sais où, un chemin qui me fait du bien, un chemin où j'avance, où je rencontre des gens qui ont au fond des yeux ce que j'aurais aimé voir dans les yeux des adultes de mon enfance.

Quand on me dit :

– Toi, c'est facile, tu es douée pour le bonheur.

Je réponds :

– Non, je ne suis pas « douée » pour le bonheur. Au contraire, je travaille fort pour atteindre cet état-là.

Tout ce qu'on m'avait promis qui me rendrait heureuse ne l'a pas fait. Et je m'aperçois que plusieurs sont comme moi mais n'osent le dire... J'ai eu deux enfants, mais ce n'est pas la maternité qui m'a rendue heureuse. J'ai connu l'amour (et je le connais encore), mais ce n'est pas l'amour qui m'a rendue heureuse. J'ai eu des défis professionnels stimulants, de beaux vêtements... mais rien de tout cela ne m'a rendue heureuse.

C'est le fait que je me suis engagée à vivre tous ces événements (la maternité, l'amour, une vie professionnelle et matérielle) en conformité avec MA façon d'être et dans une perspective spirituelle qui m'a rendue (et me rend encore) heureuse, car j'ai le sentiment profond de vivre MA vie. Être capable de vivre MA vie et non la vie que je serais censée vivre est une préoccupation de tous les instants.

En ce sens, cette citation de Pierre Teilhard de Chardin résume bien mon propos :

Nous ne sommes pas des humains vivant une expérience spirituelle, nous sommes des êtres spirituels vivant une expérience humaine.

Aujourd'hui, quand une petite fille me regarde intensément comme si elle avait la capacité de lire mon âme, je veux qu'elle puisse se dire : « Ça existe, une adulte heureuse ! »

Je veux qu'elle grandisse en paix, avec la certitude que le bonheur est possible.

Et, à cette petite fille en moi qui a toujours su, j'ai envie de dire :

– Merci ! Tout ça, c'est grâce à toi, car tu ne m'as jamais quittée, belle enfant douée pour le bonheur !

Je nous aime

Dans quelques semaines, je devrai remettre plusieurs textes à mon éditrice pour le livre que vous tenez entre vos mains. J'ai donc envoyé mon *chum* au chalet, avec les enfants, pour avoir la paix dans la maison et écrire. Habituellement, c'est moi qui m'en vais, mais là, j'essaie une autre formule. Rester chez moi, dans mes affaires, mon lit, mon La-Z-Girl... avec mon piano... bref, rester dans cet environnement dont je ne peux presque jamais jouir en solo. Et Dieu sait combien j'aime ma maison rococo en stucco!

Je suis donc seule chez moi depuis hier soir, et j'écris. Je travaille mes textes, je leur ajoute un paragraphe ici et là, j'en crée de nouveaux, j'en relis des bouts, je ris, je pleure et, surtout, je pense à vous, car c'est pour vous que j'écris et JE NOUS AIME.

Entre l'écriture de deux textes, je réchauffe ma soupe en écoutant la musique de mon iPod en mode aléatoire. Je n'appuie jamais sur le bouton Suivante pour passer par-dessus une chanson sans l'écouter, car j'aime laisser mon lecteur MP3 se charger de la trame sonore de ma vie. (Quand je vous dis que je ne suis pas contrôlante, en voilà une preuve tangible!) Le plus fascinant, c'est que souvent (pour ne pas dire tout le temps) les chansons envoyées tombent pile au bon moment. On dirait que la vie m'envoie les mots que j'ai besoin d'entendre, exactement quand ils me font le plus de bien.

J'ai un p'tit coup de déprime? Le Buena Vista Social Club intervient. Je ne veux pas aller me coucher car j'aime trop le silence de la nuit? Jean-Pierre Ferland me chante *Je ne veux pas dormir ce soir*. Je suis nostalgique de mon enfance? Félix Leclerc entonne *La mort de l'ours*. Je m'ennuie de mon *chum*, parti travailler à l'extérieur pour quelques jours? Barbara pleure: «Dis, quand reviendras-tu?» Je me sens frustrée, car je ne peux pas accomplir tout ce que je voudrais au travail? Les Colocs hurlent ma frustration en chantant: «Passe-moé la *puck* pis j'vas en compter, des buts!» Je veux prendre ma place, m'autoriser à suivre mon courant? Marie-Jo Thério sait comment aller me chercher au fond des tripes en chantant, tout en nuances: «J'voudrais être large comme le désert, j'voudrais couler comme une rivière...». Quand je me sens au top de ma forme, Charles Aznavour me dit que je suis «Formi, formi, formidaaaaable»; quand je marche dans la ville, Rufus Wainwright entonne:

I got a life to lead,
I got a soul to feed,
I got a dream to heed,
And that's all I need[3].

En ce moment, c'est Jacques Brel qui chante *Madeleine* pendant que j'écris. À l'instant même où il a dit: «Ce soir, j'attends Madeleine» pour la deuxième fois, j'ai reçu un texto de ma fille qui m'avisait qu'elle rentrait bientôt à la maison. Ça m'a fait hurler de rire, toute seule dans mon salon, et j'ai eu le goût de répondre à Jacques Brel que ce n'est pas lui qui l'attend, mais moi!

L'autre jour, alors que j'écrivais sur le thème de l'estime de soi, le groupe Louise Attaque m'a chanté avec rage: «Pas facile, pas possible de compter sur soi.» J'étais justement en train de me dire

---

3. Rufus WAINWRIGHT, *Going to a Town*, *Release the Stars*, 2007.

que la personne sur qui on devrait toujours pouvoir compter, c'est soi... Il m'est arrivé à quelques reprises, pendant des jours pluvieux, d'entendre Georges Brassens entonner: «Parlez-moi de la pluie, mais non pas du beau temps, le beau temps me dégoûte et m'fait grincer des dents.»

Il y a aussi les Rita Mitsouko, qui me rappellent que «C'est comme ça», quand j'ai de la difficulté à comprendre quelque chose. Et, quand certains comportements humains m'exaspèrent, la voix de Carla Bruni me susurre à l'oreille:

Tout le monde est une drôle de personne
Et tout le monde a l'âme emmêlée.
Tout le monde a de l'enfance qui ronronne,
Au fond d'une poche oubliée.
Tout le monde a des restes de rêves
Et des coins de vie dévastés.
Tout le monde a cherché quelque chose un jour,
Mais tout le monde ne l'a pas trouvé[4].

Chaque fois que je me sens rebelle et que mon beau David Bowie me lance *Young Americans*, la chanson de mon adolescence, ou que je me sens joyeuse et que les Denis Drolet fredonnent: «La vie est fantastique, ce soir», les paroles de leur magnifique chanson absurde, je m'étonne de ces coïncidences musicales qui rendent ma vie spéciale, musicalement parlant.

Mais cette chronique ne devait pas parler de musique, initialement. Je voulais vous la dédier, vous dire à quel point je *nous* aime, belles femmes si courageuses, intelligentes, drôles, bouillantes, vibrantes. Vous ne pouvez pas savoir à quel point je nous trouve tripantes et inspirantes. J'écris pour vous, j'écris pour nous, j'écris

---

4. Carla BRUNI, *Tout le monde*, *Quelqu'un m'a dit*, 2002.

pour que vous sachiez que nous sommes toutes connectées, que vous n'êtes pas seules. Où que nous soyons : dans notre cuisine à brasser une soupe, à l'hôpital avec un être cher, dans les gradins pour encourager notre enfant, nous sommes en quelque sorte toutes ensemble, en même temps.

En chacune de nous, il y a une petite partie qui veut vivre, qui sait vivre, qui ne voudra jamais s'éteindre. Cette partie qui veut continuer même si c'est difficile, qui veut rire même si c'est loin d'être drôle, qui veut comprendre même s'il n'y a rien à comprendre, qui veut dormir même si elle n'est pas fatiguée, qui veut fournir des efforts même si ça n'en vaut plus la peine, qui veut parler même si on la force à se taire, qui veut agir même s'il ne faut pas bouger. En chacune de nous, il y a tout ça, en même temps, et on le sait. On se reconnaît quand on se rencontre et qu'on prend le temps de se dire : « Maintenant, je sais que je ne suis plus seule. »

Moi, je vous écris parce que je n'aurai jamais le temps d'aller manger en tête à tête avec chacune d'entre vous. Mais je voulais plus, alors, un bon matin, je me suis levée et je me suis dit : « Je veux les voir souvent, ces femmes-là, en chair et en os, et autrement qu'à l'épicerie. Je veux organiser des rencontres ! » Je vous jure que, quinze minutes après avoir pris conscience de cette puissante envie de vous voir, de rire, de pleurer, d'échanger avec vous, j'ai réservé une salle à Boucherville et, un mois plus tard, la première journée LA VIE COMME JE L'AIME était inaugurée.

Ces journées me font vibrer pendant des semaines, comme si j'étais branchée sur le 220. Ce sont six heures de pur bonheur en votre compagnie, en bas de laine, avec mon coffre à outils rempli de techniques qui ont changé ma vie. Je me tiens là, debout devant vous, je vous parle, je vous transmets mes plus belles trouvailles, celles qui font que ma vie est comme je l'aime, celles que je souhaite que vous essayiez pour que vous aussi, vous ayez une vie de plus

en plus comme vous l'aimez. Croyez-moi, je ne ferais que ça, jour après jour, animer des journées « La vie comme je l'aime »...

J'aurais pu décider de donner mes conférences dans une salle de spectacle, mais on ne pourrait pas boire de vin ni manger ensemble et, surtout, je ne pourrais pas vous prendre dans mes bras, vous regarder dans les yeux et affirmer ensuite que j'ai passé la journée avec chacune de vous. Je n'ai pas voulu non plus que ce soit trop cher, pour que vous puissiez toutes vous le permettre. J'ai privilégié les samedis, pour vous offrir un congé de commissions, de brassées de lavage, de taxi-maman et d'amis à recevoir. Puis le bouche-à-oreille a fait son chemin, et des lectrices de la Mauricie, de l'Abitibi, de l'Outaouais, du Centre-du-Québec et de l'Estrie m'ont réclamée dans leur région. Wow, wow et re-wow!

À chaque rencontre, des moments inoubliables... Par exemple, lors de la deuxième journée « La vie comme je l'aime » à Boucherville, nous sommes restées assises à jaser entre femmes, autour d'une table ronde, jusqu'à vingt heures. Toutes avaient terminé leur bouteille de vin, mais pas moi (j'achète toujours Le Bonheur pour l'occasion, et j'en bois à peine une coupe en animant). J'ai donc partagé mon vin avec ces femmes que je rencontrais pour la première fois... et la soirée s'est terminée vers minuit! On a tellement ri!

Au courant de la semaine qui a suivi, j'ai beaucoup pensé au plaisir qu'on avait eu, alors j'ai réinvité ces femmes, le samedi d'après. Et, depuis, nous sommes amies. Nous nous parlons tous les jours sur Internet. C'est la première fois de ma vie qu'une chose semblable m'arrive. Former un groupe d'amies aussi compatibles et merveilleuses en si peu de temps, c'est un beau cadeau de la vie!

Pendant que je termine ce texte, pendant que je ressens cette immense bouffée d'amour pour vous, chères lectrices, savez-vous quelle chanson joue dans mon iPod? *Femmes, je vous aime,* de Julien Clerc.

Vrai comme j'suis là.

Mes précieuses amies, rencontrées lors d'une journée « La vie comme je l'aime ». Assises, de gauche à droite : Jessica, Pascale et Hélène. À ma droite : Thalye et Romane.

Les pieds dans les plumes

Sur le dessus de mon piano, il y a quatre jeux de cartes. Pas des jeux de cartes à jouer (cœur, pique, trèfle et carreau), mais des cartes de développement personnel. Il en existe plus d'une centaine de variantes, sur le marché : les animaux totems, les anges, les fleurs qui guérissent, les chakras qui nous parlent, les dés de la destinée, etc. Ces cartes, on les pige après une méditation, simplement quand on passe près du paquet ou quand on cherche des réponses. Si vous n'avez pas ce genre de jeu, vous avez sûrement une amie qui, un jour, vous a tendu le sien en disant : « Vas-y, pige une carte ! »

Mon premier jeu de cartes, je l'ai acheté lorsque j'ai commencé à suivre des cours de développement personnel, à l'âge de seize ans. C'était *Le jeu de puissance et de prospérité* conçu par Violette LeBon. Au dos de chaque carte, il y a la même phrase : *Ce que la chenille appelle la mort, le papillon l'appelle la renaissance.* J'ai encore le paquet aujourd'hui et, même s'il en manque deux dedans, je pige une carte tous les jours.

Mon jeu préféré est celui du tao. Chaque matin, je pige une carte du paquet et, étonnamment, ça concorde toujours avec ce que je vis à ce moment-là. Le premier de l'an, je pige aussi une carte, qui sera mon thème de l'année.

Ce sont les seuls outils divinatoires que je possède et dont je me sers. Tout ce qui est de l'ordre des voyantes ou des messages de l'au-delà transmis par des médiums, ça ne me branche pas plus que ça. J'en ai même un peu peur, je dois l'avouer. Pourquoi est-ce que je pige une carte chaque jour si je n'aime pas me faire «prédire» l'avenir? me demanderez-vous. Parce qu'à mes yeux, ça demeure un jeu. J'utilise les cartes pour me donner l'élan qui me fera avancer, pour confirmer un état d'esprit, pour recevoir une petite mise en garde ou une directive, etc. Ça n'apporte que de la joie dans ma vie. Quand je pige une carte qui ne fait pas mon affaire, je la remets dans le paquet et j'en pige une autre! C'est pas plus compliqué que ça.

Dans mon jeu de cartes des anges[5], il y en a une qui a pour thème «Remarquer les signes». Voici ce qu'on peut y lire: *Oui, les signes que vous recevez sont envoyés du ciel. Nous mettons des plumes, des pièces de monnaie et d'autres signes sur votre chemin pour vous rappeler que vous êtes aimé et que vous n'êtes jamais seul.*

Alors, maintenant, quand je trouve une plume sur ma route, j'aime croire que c'est la vie qui me l'a envoyée, pour remplacer toutes celles que j'ai perdues dans les moments difficiles. J'aime beaucoup l'idée que des anges sont là pour me protéger et me donner force et courage quand j'en ai besoin. Je n'ai aucune preuve scientifique de ce que j'avance, mais ça me fait du bien. Lorsque je trouve une plume (à part celles qui proviennent de ma couette de lit... ça, ça ne compte pas), je vis souvent un moment où j'ai besoin de réconfort.

L'an passé, lors de ma dernière semaine de tournage à Ottawa, j'ai pris le train Montréal-Ottawa pour la dernière fois. Quand je suis descendue du train, ce matin-là, la gare était baignée d'une belle lumière de printemps et il y avait tout plein de plumes dans une flaque d'eau, sur le sol. Un tapis de plumes pour mes pieds, pour mon âme. Les autres passagers et passagères contournaient cette «flaque» de plumes, mais moi, au contraire, je m'y suis arrêtée,

---

5. Doreen Virtue, *Oracle des anges: guidance au quotidien*, ADA, 2008.

désirant presque qu'elles me collent aux pieds pour le reste de la semaine, que j'entrevoyais difficile sur le plan émotionnel. Les pieds dans les plumes, j'ai inspiré profondément en regardant le ciel et j'ai senti que tout allait bien se passer. Je vous mentirais en vous disant que, derrière une colonne de la gare, j'ai aperçu l'aile d'un ange caché, mais ça ne m'aurait presque pas étonnée!

Dans le taxi qui me menait à mon travail, j'ai pigé une carte de mon jeu de tao (je l'apporte toujours lors de mes déplacements): la carte de l'enthousiasme. Wow! La racine grecque de ce mot est rattachée à l'inspiration divine, au divin. Ça, additionné au tapis de plumes qui m'avait accueillie, me confirmait que tout irait pour le mieux malgré ce grand vertige qui m'assaillait. C'était tout simplement... divin!

Le jour même où je venais de terminer d'écrire la chronique que vous êtes en train de lire, j'ai soupé sur mon patio avec Cœur Pur, et nous avons assisté à un spectacle unique qui nous a laissés bouche bée. Mon *chum* s'est exclamé:

– C'est la première fois que je vois ça de ma vie!

Et je lui ai répondu:

– Une chance que tu l'as vu aussi, parce que j'aurais cru avoir rêvé...

On ne sait pas pourquoi, mais, dans le ciel, près d'une branche d'arbre, un feu d'artifice de plumes a eu lieu devant nos yeux. On n'a jamais su si c'était un oiseau qui venait de se faire faire la peau, si le vent venait de les souffler hors d'un nid ou si des anges venaient pour nous saluer, mais elles ont flotté quelques instants pour ensuite se déposer à nos pieds... On a choisi la troisième option: un feu d'artifice privé, commandité par les anges, dans la cour de notre maison du bonheur.

Des plumes pour nous rappeler qu'il y aura toujours des anges pour nous faire cadeau de leurs plumes, pour nous accompagner chaque fois que nous aurons à prendre notre envol.

Avoir le droit

Ça ne fait pas longtemps que je m'accorde des droits. Avant, je n'avais pas le droit, par exemple, de prendre une pause dans ma journée, juste pour le plaisir de m'arrêter. Je ne m'autorisais pas non plus à prendre quelques minutes pour évaluer une situation et décider si, oui ou non, ça faisait mon affaire. Des échéanciers serrés, des imprévus, des demandes spéciales de la part de mon entourage : je répondais toujours oui. Et on disait de moi :

– Marcia est toujours partante...

– Marcia est capable d'en prendre !

Mais la Marcia en question n'était pas plus partante ou capable d'en prendre qu'une autre. Seulement, elle ne se donnait jamais le droit de se demander :

– Ai-je le droit de dire non ?

– Ai-je le droit de mettre mes conditions ?

– Ai-je le droit de revendiquer ?

– Ai-je le droit de ne pas être accommodante ?

– Ai-je le droit d'être même un peu chiante ?

Alors elle disait oui à tout, elle déplaçait des choses dans son agenda pour faire de la place aux autres, elle pouvait même empiéter sur ses heures de sommeil pour tenir un engagement. Pourtant, si elle avait pris le temps d'évaluer la situation avant d'accepter, elle se serait rendu compte que c'était impossible, que ça n'avait pas d'allure, et elle aurait refusé.

Mais elle ne s'était pas laissé le droit d'y réfléchir...

Puis, un jour, cette Marcia a compris que, dans la vie, tout est une question de mérite.

Pas «tout est une question de ce qu'*on mérite*», mais «tout est une question de ce qu'*on croit mériter*». Et cette simple phrase, que j'ai écrite dans un cahier du matin, m'a fait faire un grand bout de chemin.

J'ai alors commencé à me questionner:

– Qu'est-ce qui fait que tu ne crois pas mériter de bonnes conditions de travail, mériter du temps pour toi, mériter une maison qui reflète qui tu es, etc.?

C'est à ce moment-là que j'ai trouvé les réponses à mes questions. Et c'est là aussi que j'ai compris: quand on veut se connaître davantage, ce n'est pas la réponse qui importe, mais la question qu'on se pose.

En trouvant notre réponse, on arrive à ne plus subir la vie; on la crée, plutôt. On ne survit plus; on vit. La nuance est très mince entre subir et créer, et entre survivre et vivre. C'est une sensation qui nous dit qu'on n'est pas à l'aise, qu'on aimerait faire les choses autrement, mais qu'on n'en a pas le droit.

J'ai alors décidé de rédiger ma charte des droits et libertés. Pas de reprendre celle imposée par mes parents du temps où j'étais enfant ou ado. Je ne l'étais plus, après tout, j'avais plus de quarante ans! Une charte des droits et libertés qui me ressemble, qui me fait vibrer.

J'ai donc écrit sur papier tous les interdits qui régissaient ma vie, qui m'emprisonnaient. Ici, je ne parle pas des interdits sociaux ou des lois à ne pas transgresser, comme voler ou passer au feu rouge en voiture, mais des interdits avec lesquels on doit composer chaque jour et qu'on n'a jamais pris le temps d'évaluer.

- Pas le droit de rire fort (ça dérange les autres).
- Pas le droit de se donner en spectacle (un héritage de ma mère, qui nous répétait sans arrêt de ne pas nous donner en spectacle).
- Pas le droit de contrarier un homme, il faut les rendre heureux en tout temps.
- Pas le droit de se coucher tard, il faut être efficace le matin, car l'avenir appartient à celles qui se lèvent tôt. (Si j'aime me coucher tard et me lever tard, est-ce que ça veut dire que je n'ai pas d'avenir?!?)
- Pas le droit de passer en premier; il faut faire passer tout le monde avant soi.

Et la liste continuait ainsi sur des pages et des pages...

J'ai ensuite pris chaque élément un par un et je me suis posé ces questions: « Est-ce que cette loi m'appartient? Est-ce que je veux qu'elle fasse partie intégrante de ma charte des droits et libertés? »

Lorsque j'ai su ce qu'elle devrait renfermer, j'ai commencé à rédiger ma charte des droits et libertés, le sourire fendu jusqu'aux oreilles, me donnant pour la première fois le droit... d'énoncer mes droits!

Et plus la liste s'allongeait, plus je me sentais libre. Je venais de trouver la clé qui me donnerait la liberté d'être celle que j'avais toujours voulu être. Je n'avais plus peur de ce que les autres allaient penser. Je savais que je continuerais à entendre la voix de mes parents, mais ce serait un murmure lointain qui ne m'empêcherait pas de respecter ma charte. Chaque jour, j'ai peaufiné et complété ce document en me répétant : « J'ai non seulement le droit, mais j'ai le devoir ! »

Voici quelques exemples tirés de ma propre charte :

- J'ai le droit d'avoir du plaisir souvent.
- J'ai le droit de penser à moi en premier.
- J'ai le droit de dire non si j'en ai envie.
- J'ai le droit de dire oui si j'en ai envie.
- J'ai le droit d'exprimer mon opinion, même quand je ne suis pas d'accord.
- J'ai le droit de demander.
- J'ai le droit de poser mes limites.
- J'ai le droit d'exprimer mes talents régulièrement.
- J'ai le droit de rayonner.
- J'ai le droit d'avoir un partenaire de vie qui soit exactement comme je l'ai toujours souhaité.
- J'ai le droit de vivre ma maternité exactement comme je le désire.
- J'ai le droit d'avoir souvent du temps seule.
- J'ai le droit de ne pas aller à toutes les activités sociales qui me sont proposées.
- J'ai le droit de vivre selon mon biorythme.
- J'ai le droit d'être largement rétribuée pour faire ce que j'aime.

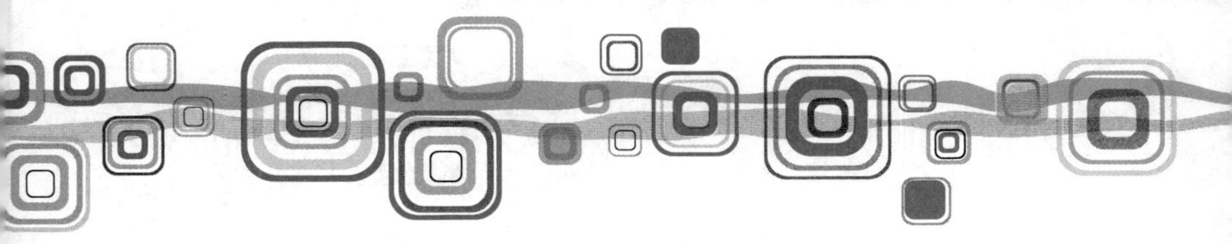

- J'ai le droit de vivre ma vie autrement.
- J'ai le droit d'aimer qui je veux.
- J'ai le droit d'avoir une vie exactement comme je l'aime.

...

Et vous, votre charte, elle ressemblerait à quoi?

La mélodie de la vie

« On ne peut pas passer sa vie à faire des gammes. À un moment donné, il faut se mettre à jouer. »

C'est la réflexion que je me suis faite après une séance de pages du matin. Depuis treize ans, je les fais religieusement en me réveillant, pendant au moins quarante-cinq minutes. Ce rituel est essentiel à mon évolution. C'est en quelque sorte le terrain de jeu où je m'exerce. C'est un peu comme faire des gammes, pour une pianiste. On peut passer sa vie à essayer de se comprendre ; si on n'accepte pas d'aller sur le terrain – le laboratoire –, on ne saura jamais que c'est grâce aux expériences qu'on apprend le plus. Il n'y a pas d'échecs, seulement des situations et des personnes qui nous font avancer et sans lesquelles on ferait du surplace. Vous ne m'entendrez donc JAMAIS me plaindre du comportement de quelqu'un de désagréable dans mon entourage, car cette personne est là pour me faire cheminer, m'en apprendre sur moi-même.

Dans une situation conflictuelle avec quelqu'un (appelons cette personne Ginette), la question n'est pas tant de savoir pourquoi Ginette a agi comme elle l'a fait avec moi, mais plutôt pourquoi la façon dont Ginette a agi a eu autant d'impact sur moi.

Essayer de faire changer les autres, c'est de l'énergie gaspillée, parce que, dites-vous bien ceci : les autres ne changent pas, ils empirent. Nous non plus, d'ailleurs, ne changerons pas. Certes, on peut s'améliorer, mais on reste avec les traits de caractère qui sont les nôtres à la naissance. Nous pouvons bien essayer de les polir, de les raffiner, il n'en demeure pas moins que nos défauts et nos qualités font intrinsèquement partie de ce que nous sommes. Il faut se questionner non pas sur le « pourquoi suis-je comme ça », mais bien sur le « pourquoi est-ce que j'attire toujours ce genre de personne ou de situation ».

Je vous donne un exemple concret... Ce que je considère comme de grandes qualités (qualités que j'ai longtemps recherchées chez un homme) chez Cœur Pur est probablement, aux yeux de ses ex, ses pires défauts. Mon *chum* a un côté improvisateur et bohème que j'aime. Quand il me dit : « On soupe ensemble, ce soir ? » je ne sais jamais si ça signifie qu'on mange à dix-huit heures, à vingt heures ou à vingt-deux heures. Et vous savez quoi ? J'adore ça. Je vous entends penser : « Je serais incapable d'endurer ça... » Pour moi, c'est tout le contraire ; je serais incapable de souper tous les jours à la même heure, avec la même personne. Et je sais de quoi je parle, je l'ai vécu pendant des années avec mes deux premiers conjoints. C'était un irritant majeur pour les ex de Cœur Pur, parce qu'ils étaient tout simplement incompatibles ! Et, comme je l'ai dit plus haut, mon *chum* ne changera pas ; au contraire, il va probablement empirer avec les années... et on va finir par souper à minuit !

C'est le même constat en ce qui me concerne. Parlez-en à mes ex, certains de mes traits de caractère leur faisaient dresser les poils du *chest*, alors que Cœur Pur les trouve charmants...

Pour en revenir aux expériences douloureuses qu'on vit, il y a des questions qu'on doit se poser quand on veut apprendre et cheminer. Les questions ne doivent jamais être dirigées vers l'autre : « Pourquoi mon *chum* est-il colérique ? », « Pourquoi il ne me donne jamais une heure précise pour le souper ? » ou « Pourquoi Ginette est-elle jalouse de moi ? »

On doit plutôt les diriger vers nous :

- Qu'est-ce que je fais avec un gars qui ne me donne jamais d'heure précise pour le souper alors que j'ai BESOIN de balises pour être heureuse ?
- Pourquoi une personne jalouse de moi réussit-elle à me faire perdre mes moyens ?
- Pourquoi ne suis-je pas capable de m'affirmer ?
- Pourquoi cette situation a-t-elle un impact sur moi ?
- Pourquoi, moi qui suis calme et zen, ai-je dans ma vie un conjoint qui crie et qui se fâche toutes les deux minutes ?
- Pourquoi j'endure ça ?

Voyez-vous la différence ? Plus on sera capable de formuler LA bonne question, plus on sera en mesure de trouver LA bonne réponse pour enfin jouer le morceau de piano qui nous fait tant vibrer, et nous dire : « Bravo, ma vie est mélodieuse ! » N'est-ce pas ce dont on a toutes envie ? Avoir des vies mélodieuses qui nous font vibrer ? Moi, oui.

Déclarations personnelles

On connaît les déclarations d'impôt, les déclarations politiques, les déclarations d'amour, les déclarations aux douaniers, mais on connaît très peu les déclarations personnelles. Certains les appellent affirmations à soi-même, d'autres diront que ce sont des phrases-guides, j'aime appeler ça des déclarations, pour le côté solennel que ça leur confère. Déclarer quelque chose, ça me semble plus sérieux que de seulement le dire ou l'affirmer.

Tous les jours, je dirais même toutes les heures, on se fait des déclarations personnelles, soit par la parole (à voix haute ou intérieurement), soit par l'entremise d'un comportement, d'une attitude ou d'une réaction.

Qui dit déclaration dit aussi équation, car c'est étroitement lié.

Qu'est-ce qu'une équation? C'est une formule qu'on construit à partir de notre éducation, de nos croyances et de notre environnement. On la transporte toujours avec soi sans la remettre en question – sans même connaître son existence, parfois – et cette équation régit notre vie. Si on veut être libre, avancer dans la vie et apprendre à se connaître, il est primordial de mettre le doigt sur nos équations personnelles. L'équation varie d'une personne à une autre. Ma sœur Brigitte et moi avons treize mois d'écart, nous avons les mêmes

parents, la même éducation et, pourtant, nos équations par rapport à l'amour, à l'argent et au travail sont totalement différentes.

Une équation comporte le mot « plus » et le mot « moins », ainsi qu'un lien de cause à effet. En voici quelques exemples :

- PLUS je vieillis, MOINS je suis populaire auprès des hommes.
- PLUS je suis zen, MOINS j'ai de travail.
- PLUS mes affaires fonctionnent, MOINS j'ai de temps pour moi.
- PLUS je passe du temps avec mes amies, MOINS je suis productive.

Chaque équation est en quelque sorte un ordre, un commandement, une déclaration que vous faites inconsciemment à la vie. Plus vous y croirez, plus votre réalité sera teintée de cette équation.

Il peut s'agir d'un fait que vous êtes en mesure de vérifier (parce que le phénomène se répète depuis des années) ou d'une peur, comme dans l'exemple qui suit :

- PLUS je serai riche (PLUS je serai jalousée) et MOINS j'aurai d'amies.

Peu importe que ce soit une réalité actuelle ou anticipée, le résultat demeure le même : nous créons notre réalité en nous basant sur nos croyances et les équations qui en découlent.

Des équations, il y en a des millions, et on a le choix de remplacer les nôtres par celles qui nous conviennent, mais, pour cela, il faut d'abord prendre conscience de celles qui nous gouvernent. En ce qui me concerne, je décortique mes équations dans mes pages du matin.

Comment arrive-t-on à trouver *notre* équation dans une situation donnée ? Cela demande de porter une attention particulière et ce « travail » peut prendre du temps. Mais, puisque ça fait déjà des années que nous vivons avec nos formules problématiques, un petit mois ou deux de plus avant le renversement final d'une équation négative ne nous fera pas davantage de tort.

Le processus de prise de conscience commence souvent par un écœurement par rapport à une situation qui se répète. Vous savez, quand vous vous dites : « Pourquoi est-ce que, chaque fois que je me retrouve dans cette situation, ça finit de cette façon ? »

Essayez de noter quelle équation se trouve sous cet écœurement. Par exemple, si vous avez éclaté en sanglots pendant une réunion, au travail, voilà ce que vous pourriez trouver comme équation :

- PLUS je m'affirme auprès de mes collègues, MOINS ils me donnent ce que je veux.

Surtout, n'ayez pas peur d'écrire à propos de tout ce que vous trouvez injuste, de la façon que ça se manifeste, etc. C'est stimulant, parce que plus on devient habile à reconnaître nos équations, plus ça devient facile de les renverser.

La dernière équation que j'ai renversée était à propos de l'argent. Je pensais :

- PLUS mon travail est facile, PLUS j'ai du *fun*, MOINS je devrais être payée.

Ce qui sous-entend une autre équation :

- PLUS il y a d'irritants dans mon travail, PLUS je m'entoure de gens que personne d'autre n'endurerait, PLUS je peux consentir à être payée grassement.

Bref, j'avais la certitude qu'être payée pour s'amuser est impossible s'il n'y a aucun irritant. D'où me vient ce genre d'idée ? La réponse se trouve dans mon enfance. Ma mère disait souvent : « Marcia, donne-toi pas en spectacle » ou « Regarde-les se donner en spectacle, ceux-là. » Étant une femme très discrète, Lucie méprisait tout comportement exubérant et marginal. Comme une grande part de mon travail consiste à parler devant un auditoire, à divertir, bref, à me donner en spectacle en quelque sorte, j'ai souvent le sentiment de transgresser une loi. Alors si, en plus, il fallait que je sois bien payée pour le faire!

Tant que je ne suis pas trop payée, tant que je ne peux pas gagner ma vie convenablement, ça va. Une partie de moi ne peut pas s'empêcher de penser: « Fais-le si tu veux, donne-toi en spectacle, mais bénévolement. Comme ça, tu ne pourras pas continuer à le faire bien longtemps... »

Dans le même ordre d'idées, ma mère n'aimait pas qu'on joue ou qu'on niaise à la maison. Je la revois nous dire avec mépris:

– Jouer, jouer, jouer, y a pas rien que ça dans la vie...

Une autre part de mon métier consiste à jouer, à m'amuser, à avoir du plaisir. Lorsque je donne des conférences, que j'écris ou que j'organise des journées « La vie comme je l'aime », ces trois éléments de plaisir sont réunis, mais je n'ai jamais pu vivre confortablement de ce talent. Je commence à m'ouvrir à l'idée de renverser la vapeur depuis que j'ai mis le doigt sur les équations qui m'empêchaient d'accepter que c'est possible et qui allaient comme suit:

- PLUS c'est facile, PLUS je m'amuse, PLUS j'ai des occasions de me retrouver devant un auditoire, MOINS je suis rétribuée.

L'étape suivante consiste à renverser l'équation en se créant une affirmation qui comporte deux « plus ». Dans mon cas, ce serait:

- Moi, Marcia, PLUS je contribue au bien-être des autres en faisant et en étant ce que j'aime, PLUS je suis rétribuée sur le plan financier.

C'est là que surgissent les paroles de la conscience:

- Pour qui tu te prends?

- Qu'est-ce que les autres diront si tu t'enrichis en t'amusant? Ils vont être jaloux, tu ne pourras plus te justifier en disant que ce n'est pas payant et que tu ne peux pas en vivre...
- Pourquoi *toi*, tu serais payée pour t'amuser alors que tout le monde *rushe* pour gagner sa vie?
- Tu n'as pas le droit à ça...

La meilleure chose à faire quand ces phrases résonnent en nous, c'est de les accueillir et de les traiter comme des peurs qui nous empêchent d'aller au bout de notre désir. Il ne faut pas se battre avec ses peurs. Il faut tout simplement reconnaître qu'elles sont là et, surtout, ne pas leur accorder d'importance.

Lorsque nos équations sont enfin solides et positives, on peut les noter dans un carnet. J'enregistre aussi les miennes pour pouvoir les écouter dans ma voiture. Je répète chaque équation trois fois, à la première, à la deuxième et à la troisième personnes:

- Moi, Marcia, PLUS je m'amuse...
- Toi, Marcia, PLUS tu t'amuses...
- PLUS Marcia s'amuse...

Je ne sais pas si ce genre de théorie a été prouvé scientifiquement, mais sincèrement je m'en fous. Ce que je sais, c'est que cette méthode a fait une grande différence dans toutes les sphères de ma vie. Maintenant, les déclarations personnelles que je me fais portent toujours sur le meilleur de moi, ce que je veux véritablement. Je vous souhaite la même chose et je vous déclare maintenant libres!

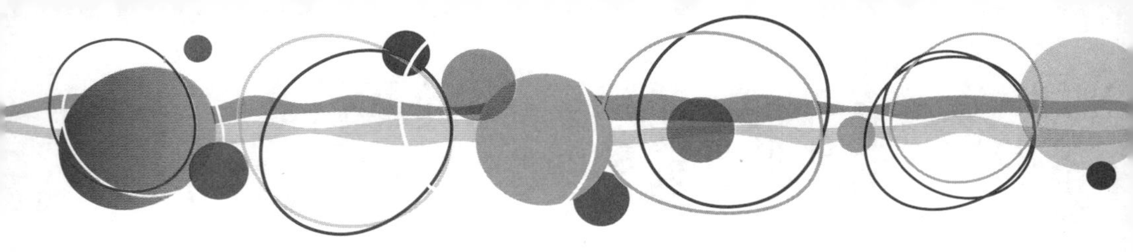

Merci, chauffeur!

Je ne sais pas si c'est comme ça dans votre famille, mais, dans la mienne, l'homme qui conduit la voiture (le chauffeur) a droit à un traitement spécial. Jusqu'à ce que j'obtienne mon permis et que je me retrouve derrière le volant, je croyais que conduire relevait de l'exploit et exigeait de l'être humain des aptitudes supérieures, au même titre que piloter un avion.

Ce n'est pas mon père qui me donnait cette impression, mais plutôt la façon avec laquelle ma mère le traitait lorsqu'il était au volant... et je vous jure qu'après cinquante ans de mariage, c'est encore comme ça! Chaque fois que mon père prend le volant pour un long trajet, ma mère étend un linge à vaisselle sur ses genoux pour éviter qu'il se salisse pendant qu'elle lui donne du « manger mou » (compote de pommes, soupe, pudding au soya), elle lui dévisse ses bouteilles d'eau ou de ginger-ale, elle s'empresse de sortir ses lunettes de leur étui dès qu'il fait trop soleil et de les ranger quand il n'en a plus besoin, elle l'aide à mettre sa veste, à l'enlever... c'est tout juste si elle ne lui boucle pas sa ceinture de sécurité lorsqu'il s'assoit sur le siège du conducteur! Mais ce n'est pas tout... quand ils sont arrivés à destination, elle lance à des kilomètres à la ronde son traditionnel:

– Merrrrrci, chauffeur!

Comme nous avions de la parenté en Abitibi et au Lac-Saint-Jean, nous avons souvent fait de longs trajets en voiture; j'ai donc pu passer des heures à observer mes parents et leur dynamique. J'ai aussi été obligée de claironner des centaines de fois: «Merci, chauffeur!» à l'unisson avec ma mère, qui jouait les chefs d'orchestre devant mes trois sœurs et moi. Je me souviens de m'être fait la réflexion, étant enfant, que la job d'assistante du chauffeur avait l'air ennuyante en titi et qu'il devait être bien plus agréable d'être pilote. (Ça tombe bien, je suis une Pilote!)

Pourtant, plusieurs années plus tard, j'ai perpétué la tradition sans me poser de questions. J'ai toujours laissé conduire mes *chums*, et ce, même si j'ai le mal des transports lorsque je suis passagère. Je n'allais pas jusqu'à donner le sein au chauffeur, mais je lui accordais spontanément un statut particulier, jusqu'à ce que j'effectue mon premier long voyage en tant que chauffeuse. C'était en 1990, en direction du Lac-Saint-Jean, dans MA première voiture, avec ma cousine Véronique et ma fille Adèle, âgée de quatre ans. Je venais de me séparer du père d'Adèle et je comptais bien goûter à la liberté avec un grand L. Je m'attendais à ce qu'une fois arrivée à destination après six heures de route, je doive recevoir les premiers soins, épuisée d'avoir accompli cet «exploit»; mais quelle ne fut pas ma surprise de constater que je n'étais pas fatiguée, mais plutôt remplie d'énergie et de fierté. C'est à ce moment que j'ai compris une chose: les hommes laissent sûrement croire que conduire est périlleux et éreintant pour conserver les privilèges auxquels ils ont droit depuis des décennies. Ce n'est que l'année dernière, après sept ans de relation, que j'ai abordé le sujet avec Cœur Pur:

– Savais-tu que j'aime beaucoup beaucoup beaucoup conduire?

– Oui, je le sais...

– Tu sais aussi que j'ai le mal des transports quand je suis passagère?

– Oui, certain.

– Alors, comment expliques-tu que je ne prenne JAMAIS le volant quand on est ensemble? On dirait que c'est un droit acquis des hommes depuis l'invention de la première voiture, que dis-je, depuis que les calèches existent... Seules exceptions: quand le gars est non-voyant ou qu'il a perdu son permis. Sinon, c'est toujours lui qui conduit.

– ...

Il n'a pas su quoi me répondre. Ou il a préféré se taire plutôt que de gagner des points d'inaptitude avec moi! Ce qui est ironique avec Cœur Pur et moi, c'est qu'on a suivi nos cours de conduite ensemble, à l'âge de seize ans. C'est lui qui me l'a appris. Malheureusement, je ne m'en souviens plus parce que, premièrement, on ne va pas dans un cours de conduite pour *cruiser* et, deuxièmement, il avait quinze ans et j'en avais dix-sept; mais lui se souvient parfaitement de moi. Il m'a raconté qu'il aurait alors aimé avoir le courage de me parler, mais qu'il était trop gêné. De toute façon, je n'aurais jamais été intéressée par un p'tit jeune de quinze ans qui avait (déjà!) un char *jacké*, payé avec ses économies de livreur de journaux, et qui comptait les dodos tellement il avait hâte de pouvoir le conduire.

Cœur Pur et moi n'avons plus jamais abordé le sujet par la suite et je le laisse encore conduire quand nous sommes dans le même véhicule, mais je me rattrape lorsque je parcours le Québec en solitaire.

Avez-vous remarqué le parallèle qu'on peut faire entre la voiture et le barbecue? C'est le même combat: quand l'homme est dans les parages, c'est son droit acquis, il prend le contrôle de «la machine» et récolte tous les privilèges qui y sont rattachés.

Alors, je me dis: pourquoi pas? Si ça peut leur faire plaisir... Je n'ai que deux demandes: je veux qu'on me dise: «Merci, chauffeuse» si je conduis à bon port les gens que j'aime pendant plus de deux cents kilomètres, et je veux qu'on lève un verre à ma santé si je suis la reine de la boulette lors d'une *garden-party* (pendant que l'homme aura cuisiné douze sortes de salades, coupé les crudités et fait une trempette maison)!

Tantine Marie de l'au-delà

On a toutes une tante qui nous marque plus que les autres. Moi, c'est ma tantine Marie, décédée à cinquante-sept ans. Je lui ai même déjà consacré une chronique[6] dans un de mes livres. Je pense souvent à elle, qui est aux cieux, et je me demande ce qu'elle aurait envie de me dire si on allait dîner, elle et moi. Puisqu'on me dit que je lui ressemble de plus en plus, j'ai envie de me mettre dans sa peau de femme qui n'a plus de corps, mais seulement une âme, dans sa peau de femme qui vogue, qui flotte dans l'au-delà, de femme qui a existé et qui n'est plus. On n'a aucune certitude en ce qui concerne la vie après la mort, mais j'aime imaginer la lettre qu'elle m'écrirait si elle le pouvait...

Ma chère nièce,

J'te regarde aller et j'te trouve belle.

J'trouve que tu as compris des choses importantes. Ça n'a pas toujours été facile pour toi, mais là, mon Dieu que c'est beau à voir d'ici! Tu comprends enfin que tu peux être toi-même, que tu dois être toi-même et que plus tu seras toi, plus les autres pourront être ce qu'ils sont. Les vois-tu, ces regards, ces yeux pétillants qu'ont les gens que tu

---

6. « Les pieds de ma tantine Marie », *La vie comme je l'aime – Chroniques d'été*, p. 204.

touches? Te rends-tu compte que, chaque fois que tu entres dans une pièce, chaque fois que tu parles à une personne, tu fais grandir ceux qui t'entourent, tu les fais se sentir importants? Mais il faut dire aussi que tu as un don. Le don de la simplicité. Le don de savoir vivre. Pas que tu sois meilleure que les autres, mais seulement peut-être un peu plus engagée à vouloir vivre ta vie pleinement.

Il y a tant de choses que j'aurais aimé savoir pendant que j'étais sur cette belle et magnifique terre... J'aurais aimé savoir qu'on a tout notre temps et que, si on passe notre vie à courir, c'est justement par peur de savoir qu'on a tout notre temps. On dirait que ça fait notre affaire de nous sentir coincées. Comme si trop de liberté allait nous rendre si légères qu'on allait se mettre à voler. C'est ce que je suis, moi, aujourd'hui. Légère. Je sais maintenant que j'aurais pu l'être tout autant sur terre, mais je ne le voulais pas, je ne le pouvais pas. Il a fallu que je meure pour m'en apercevoir.

L'avantage de la mort, c'est la fin des souffrances. Mais j'te dis ça d'même, ma belle, on n'est pas obligées de souffrir. On peut ressentir sans souffrir.

Es-tu déjà allée au spa Ovarium, à Montréal? Il y a des bains fermés où tu flottes dans l'eau salée, entourée de lumière et de musique. C'est un peu ce que je vis ici en permanence. Je suis bien. Mais je t'avoue que les clubs sandwichs me manquent!

Ce que j'admire chez toi, c'est toute l'énergie que tu mets à te sentir légère. Je te lève mon chapeau. Tu as ma légèreté, mais tu as la chance d'avoir un corps, de marcher, d'avancer, de goûter, de pleurer, de rire, de faire l'amour... Tout ce que je n'ai pas su faire à cent pour cent de mon vivant, tout ce que je ne peux plus faire alors que je saurais enfin comment. C'est fou, mais ça prend toute une vie et toute une mort pour comprendre cela. Toi, c'est comme si tu avais toute une vie et toute une mort dans le corps, parce que tu es capable de flotter tout en étant incarnée. Et je vois de là-haut que vous êtes de plus en plus nombreuses à vivre vos vies, vos belles grandes vies, comme vous les aimez, pour reprendre le titre de tes livres. Je n'ai pas pu les lire du temps de mon vivant, mais je les estime,

je les protège, je les supervise de là-haut. J'aime bien quand tu écris des textes humoristiques. Tu me faisais tellement rire quand tu me racontais tes aventures! J'ai été ton premier public et je me disais qu'avoir eu ton âge, c'est comme toi que j'aurais voulu être.

Je ne sais pas quel genre de p'tite vieille je serais devenue si je n'étais pas morte à cinquante-sept ans, mais j'ai une idée de ce que toi, tu deviendras. Tu te souviens de la carte que je t'ai donnée? Celle où on voit une grand-mère vraiment très flexible qui nous a fait rire aux larmes? Tu l'as encore, je crois. Continue de la regarder et de rire, elle fait du bien. Moi aussi, elle m'en a fait. Je n'aurai pas eu la chance de me rendre jusque-là, mais toi, tu l'auras. J'ai la certitude que tu vivras vieille, parce que tu as encore tant à donner et tant à recevoir! Parfois, tu pleures en te disant que c'est trop beau pour être vrai, tout cet amour que tu reçois de tes filles, de Cœur Pur, de tes lectrices... Tu ne dois pas pleurer, m'entends-tu? Tu as le droit de vivre ce grand bonheur car tu peux le partager, tu peux montrer aux gens que c'est possible et les inspirer.

C'est ce que tu réussis le mieux dans la vie, inspirer. Tu es une source d'inspiration, oui, mais tu accomplis surtout le geste de remplir tes poumons d'air frais, de bonheur et de gratitude. Ça, tu as toujours su le faire, même quand tu étais petite, je m'en souviens. J'ai compris bien des choses de mon passage sur terre, depuis mon décès. J'ai surtout compris qu'il faut apprendre à flotter, prendre le temps de savourer chaque instant, pas seulement quand on est en vacances, mais toute l'année. Tout le monde parle de l'importance de vivre le moment présent, mais peu en sont vraiment capables à cause de la peur. Je sais de quoi je parle, j'ai tellement eu peur! Ici, la peur n'existe plus. Dans l'au-delà circule une énergie d'amour, sans contraintes de temps et sans peur du ridicule, peur de manquer l'autobus, de perdre de l'argent, etc. Seulement un état de « sérénitude ». Je viens d'inventer ce mot en combinant deux états : la sérénité et la plénitude.

J'aimerais que tu dises aux femmes que c'est important d'en profiter pleinement, parce qu'après, je t'avoue que c'est plate en sacrament! Je ne dirais pas non si on m'offrait la possibilité de retourner vous voir, de temps en temps. Aller acheter des vêtements dans les friperies en ta compagnie, me prélasser sur une plage de la Floride ou me faire faire un p'tit massage des pieds comme j'aimais tant... Tout ça est impossible désormais... Alors je te le répète: profites-en. Mais tu le fais déjà grâce à ton don, ma chère nièce. Quand tu manges, tu savoures; quand tu aimes, tu vibres; quand tu regardes les gens dans les yeux, tu te rends jusqu'à leur âme. Tu as le don d'être.

Il y a une phrase, la plus importante de toutes, que je veux que tu transmettes aux femmes que tu rencontres: tout, absolument tout finit par s'arranger. Si elles traversent une dépression, une faillite, la maladie, une séparation, une perte d'emploi, etc., dis-leur que ce n'est pas pour rien que ça leur arrive. Je suis en mesure de le constater, disons que j'ai une bonne vue d'ensemble... Et, en attendant que ça s'arrange, il faut tout faire pour rester dans la sérénitude!

Je t'aime,

Tantine Marie

La fameuse carte que m'a offerte ma tante Marie et qui nous a fait rire aux larmes.

J'aime tellement la vie !

La mort
C'est comme une chose impossible
Pour toi
Qui est la vie même, Marcia

Tu aimes tellement la vie, Marcia...

EXTRAIT DE *MARCIA BAÏLA*, DES RITA MITSOUKO

Parfois, je fais jouer cette chanson juste pour entendre ce passage. On dirait qu'ils l'ont écrite pour moi... Oh oui, j'aime tellement la vie! Vous voulez savoir pourquoi?

- Parce que je peux marcher.
- Parce que je peux donner souvent des becs sur les joues de mes magnifiques filles.
- Parce que je fais un métier qui est tout sauf routinier, un métier qui me permet de rencontrer des femmes formidables qui m'émeuvent, me font rire, avancer et grandir.
- Parce que je peux adopter le style vestimentaire que je veux, suivant mon inspiration du moment.
- Parce que j'ai un amoureux tellement beau, drôle et gentil.

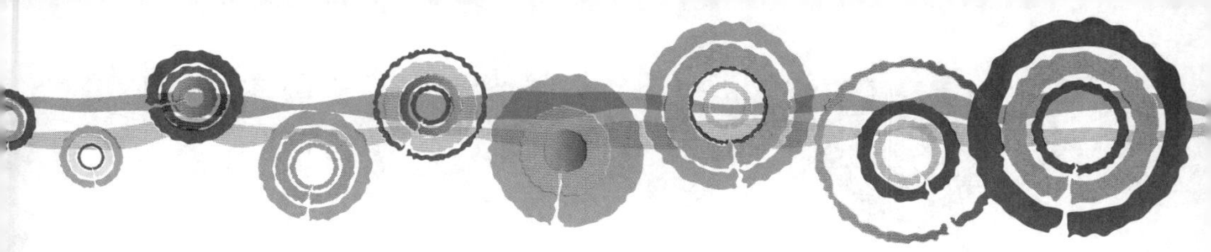

- Parce que je sais d'où je suis partie et que le trajet n'a pas toujours été facile pour arriver là où je suis aujourd'hui.
- Parce que j'ai une maison qui me ressemble, peinte de couleurs que j'ai choisies, meublée avec mes trouvailles du bord du chemin, qui ont chacune leur histoire.
- Parce que j'ai le fleuve Saint-Laurent à cinq minutes de chez moi.
- Parce que je peux essayer souvent de nouvelles recettes.
- Parce que je vis dans une province où la liberté est un droit.
- Parce que je peux aller m'acheter des bonbons au dépanneur sans demander la permission à personne.
- Parce que je sais savourer le bon vin.
- Parce que mes parents demeurent à quelques rues de chez moi et que, lorsqu'ils quitteront cette terre, j'aurai beaucoup de peine, mais aucun regret, car j'aurai profité pleinement de leur présence.
- Parce qu'il y a des livres à l'infini et que je n'aurai pas assez d'une vie pour tous les découvrir.
- Parce qu'au moins une fois par mois, depuis trente ans, je vais manger dans mon restaurant préféré du Quartier chinois (Fung Shing), à Montréal.
- Parce que je prends en note toutes mes réflexions, sachant qu'elles seront lues par des milliers de personnes, et ça m'émeut.
- Parce que ça sent toujours bon, dehors, après la pluie. Aucun parfumeur n'a su égaler cette odeur, pas même le personnage de Grenouille, dans le roman *Le parfum*.

- Parce qu'il y a tant de films merveilleux à découvrir ! Et, si on les a aimés sur grand écran, on peut ensuite les acheter en DVD et les visionner autant de fois qu'on le désire !
- Parce que, chaque jour, la vie met sur ma route des gens qui ont des choses intéressantes à raconter.
- Parce que j'aime rouler en voiture, seule, en écoutant de la musique.
- Parce que je croise souvent des enfants dans mon quotidien et, lorsqu'ils me sourient, me parlent avec leurs mots savoureux, ils me montrent le chemin du bonheur.
- Parce que ceux qui m'ont donné la vie, mes parents, sont des êtres qui aiment tellement la vie, eux aussi.
- Parce que je suis impatiente de retrouver mon beau Cœur Pur sous la couette, tous les soirs, et qu'il a aussi hâte que moi.
- Parce que mes filles sont tellement « elles-mêmes », si uniques et émouvantes.
- Parce que je vais souvent passer l'aspirateur dans ma voiture, à la station-service à côté de chez moi. Ça coûte deux dollars pour cinq minutes et c'est le bonheur !
- Parce que mes amies sont géniales et que, même si on ne se voit pas souvent, on s'aime tout le temps.
- Parce que j'écris mes pages du matin tous les jours, à la main, avec mes crayons feutres pointe fine.
- Parce que mes neveux, Henri et Francis, sont toujours contents de me voir et me trouvent très drôle.
- Parce que je vais souvent chercher ma nièce, Elsa, à l'école, pour qu'on aille ensemble à la piscine.

- Parce que ma filleule, Clara, a tapissé le mur de sa chambre de photos importantes à ses yeux et que j'apparais sur plusieurs d'entre elles.

- Parce qu'il y a tellement de comédiennes qui me font vibrer et que je n'ai qu'à appuyer sur un bouton pour les voir jouer dans mon salon : Élise Guilbault dans *Yamaska,* Anne Casabonne dans *La galère,* Pauline Martin dans *Tranches de vie...*

- Parce qu'il y a toujours de belles pommes rouges dans mon panier de fruits.

- Parce qu'à moins de trente minutes de chez moi, il y a des épiceries ethniques où il est possible d'acheter des aliments qui me feront faire le tour du monde.

Mais, surtout, j'aime tellement la vie parce que je sais que je ne terminerai jamais cette liste... Et, dans les moments plus difficiles, quand il y aura de la brume dans ma vie, cette liste ne sera jamais loin et je pourrai la relire pour recommencer à aimer la vie... tellement !

Sur mon dos

Un jour, pendant que je marchais, que dis-je, pendant que je *courais* dans ma vie de femme occupée, je me suis arrêtée et j'ai retiré un immense sac à dos, qui pesait très lourd, de mes épaules. Je l'ai déposé par terre et je ne l'ai jamais repris. C'est faux... Je l'ai repris, mais différemment. Je l'ai rendu plus léger. Pourquoi as-tu porté l'ancien sac pendant tant d'années? me demanderez-vous. Pourquoi se remplissait-il autant, jour après jour, sans que je m'en rende compte? Pourquoi ai-je décidé de m'en débarrasser ce jour-là précisément? Je ne pourrais pas le dire. Probablement parce que j'étais prête. Ou parce qu'il était rendu trop lourd et que j'avais envie de légèreté.

Dans la vie de la plupart des gens qui nous inspirent, il existe un «avant» et un «après». Avant une maladie, avant une séparation, avant un changement d'orientation professionnelle ou personnelle, avant une perte de poids importante, avant une épreuve... Qu'est-ce qui différencie le «avant» du «après»? Le fameux sac. Avant, le sac est un fourre-tout très lourd qui nous semble imposé par la vie. Après, il est toujours là, mais à la différence près que nous en choisissons le contenu.

Je me souviens très bien du jour où j'ai déposé le mien. Je l'ai retiré en me disant qu'il ne m'appartenait plus et je me suis posé la question suivante: «M'a-t-il déjà appartenu?»

J'ai ouvert mon sac trop lourd, déposé à mes pieds, et j'ai sorti tout ce qu'il contenait en me demandant ce qui m'appartenait véritablement, dans tout ça. J'ai repris *mon* bagage, l'ai remis dans le sac, ai replacé le sac sur mes épaules, puis j'ai continué mon chemin, plus légère et plus vraie.

Ce jour-là, j'ai compris que des sacs à dos, il y en aura toujours. On ne peut pas les laisser au bord du chemin, mais on peut poursuivre notre route en décidant ce qu'on veut porter. Je choisis de porter *mon* sac et pas celui des autres. Il me semblera alors moins lourd dans les moments difficiles, car je saurai ce qu'il y a à l'intérieur.

C'est le souhait que je fais : que mon bagage soit utile, léger et, surtout, empreint de celle que j'ai été parce qu'elle fait partie de moi aujourd'hui et que j'ai besoin d'elle pour avancer.

Plan V

Faire des plans, tout le temps, c'est un peu ça, la vie. Des petits, des moyens, des grands, mais il ne faut jamais cesser d'en faire, car le jour où on n'en a plus envie, ça veut dire qu'on ne voit plus ce que ça pourrait donner, qu'on n'a plus l'énergie nécessaire, qu'on n'a plus hâte de les voir se réaliser, et ça, c'est malheureux. Avez-vous remarqué que, quand on fait des plans, on a toujours un plan B, au cas où le premier ne fonctionnerait pas? À ce sujet, je vais vous faire part d'un échange que j'ai eu avec mon amie Josée, sur Facebook, qui m'a inspiré ce texte. Elle venait de vendre sa maison et de faire une offre sur celle de ses rêves. Puis, pour toutes sortes de raisons, elle a aussi envisagé un plan B. Elle a demandé à ses amies Facebook de se prononcer sur la question. Elle voulait savoir si nous préférions le plan A ou le B, photos à l'appui. Tout le monde publiait son choix, tout en commentant pour justifier son avis. Savez-vous ce que j'ai écrit?

– Personnellement, j'opterais pour le plan V. Celui qui vient à toi sans que tu aies à le forcer...

C'est le meilleur plan, mais aussi celui auquel on pense en dernier. Ce n'est pas pour rien qu'il est placé à la toute fin de l'alphabet!

Les plans A-B-C-D-E-F-G-H-I-J-K-L-M-N-O-P-Q-R-S-T-U, on les a tous essayés... alors qu'on aurait dû spontanément choisir la vingt-deuxième lettre !

A pour : Ah ! Je le veux TELLEMENT ! Je vais mourir si ça ne fonctionne pas !!!!

B pour : Bon, bien, je pense que le plan A ne fonctionne pas !

C pour : C'est vraiment dommage que ça niaise comme ça.

D pour : Dans un mois, si les choses n'ont pas avancé, je vais être dans le trouble.

E pour : Est-ce que quelqu'un entend mes demandes ? Youhou, l'univers !

F pour : Faut-il que je me choque pour avoir ce que je veux !?

G pour : Grrrrrrrr, je commence à être à bout !

H pour : Hein ? Quoi ? Ne me dites pas que ça ne fonctionnera pas ?!

I pour : Incroyable, mais vrai ; je n'aurais jamais cru que ça allait être aussi compliqué !

J pour : Je ne comprends rien... Pourquoi ça ne marche pas ?!?

K pour : Karma, quand tu nous colles au cul !

L pour : Le meilleur moyen pour que je devienne folle, c'est que je ne sache pas quoi faire pour réaliser mon plan A !!!

M pour : Misère, je n'y arriverai jamais !

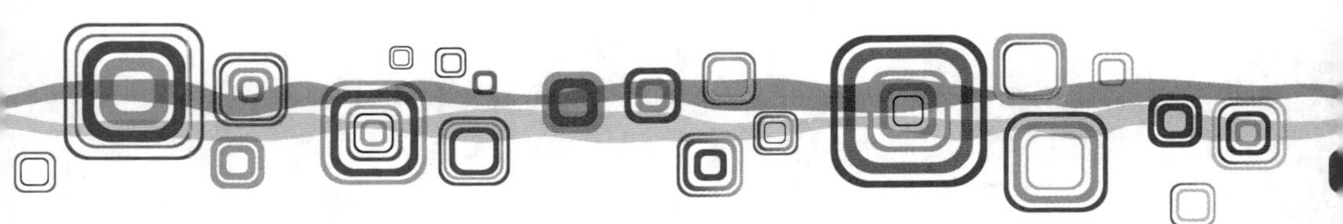

N pour : Non mais, qu'est-ce que je dois comprendre de cette situation ?

O pour : Ostie de tabar... de câl... de sacra... de câli... !

P pour : Pourquoi ça fonctionne toujours du premier coup pour les autres, mais jamais pour moi ?

Q pour : Qu'est-ce que j'attends pour me sacrer en bas d'un pont ?

R pour : Rien à faire, la vie s'acharne sur moi !

S pour : Si ça marche, je promets de faire une bonne action par jour !

T pour : Toute ma vie, j'ai voulu ça ! C'est vraiment « trop inzuste », comme dirait Calimero.

U pour : Un instant, ça va faire, je démissionne...

Puis, tout de suite après qu'on a eu sincèrement envie de démissionner, le plan V se montre le bout du nez. C'est toujours comme ça.

V pour : Vive le meilleur plan du monde, qui convient parfaitement à celle que je suis et qui me permettra de vivre en conformité avec mes valeurs, mon essence et mes préférences !

W pour : Wow ! C'est génial, le plan V ! Pourquoi je n'y ai pas pensé avant ?

X pour : Xxxxxxxxxxxxxxxxx. Plein de becs tellement je suis heureuse !

Y pour : Youpi ! J'ai enfin ce que je désire véritablement et, en plus, c'est encore mieux que ce que je pensais !

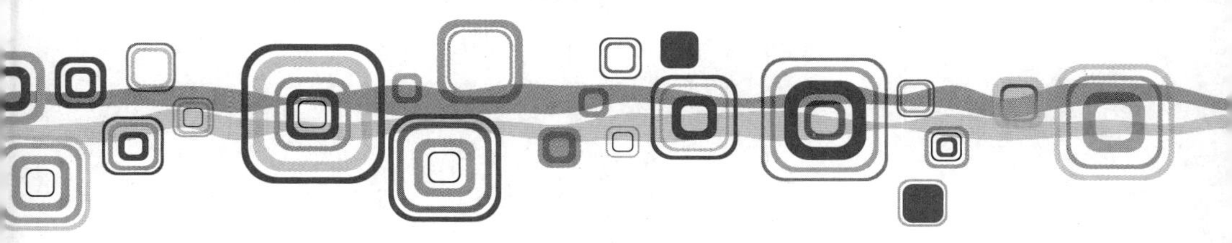

Z pour : Zéro stress et de la zénitude, avec le plan V !

J'aime faire des plans et j'en fais tout le temps : idées d'émissions, idées de conférences, plans d'aménagement de ma cour, de ma maison, plans pour mes escapades en caravane, plans pour...

J'ai aussi fait le choix de les confier à la vie. C'est beaucoup plus facile, satisfaisant et excitant. Vous ne vous rendrez peut-être pas tout de suite à la lettre V, ça peut vous prendre des années, mais ce n'est pas ça, l'important.

L'important, c'est de savoir que le plan V existe, de lui faire confiance et, surtout, de ne jamais arrêter de faire des plans ! C'est un bon plan, n'est-ce pas ?

Mille choses à la fois

La maladie du siècle? Faire mille choses en même temps. Et s'en vanter!

Se sentir obligée de faire la vaisselle en parlant au téléphone, parler au téléphone en conduisant, conduire en apprenant une nouvelle langue sur un CD dans l'auto, laver notre auto en faisant répéter les mots de vocabulaire à notre enfant, s'occuper de notre enfant malade en essayant de travailler sur l'ordi pour terminer un dossier, terminer un dossier en textant à notre amie pour savoir comment s'est déroulée sa *date* de la veille, ramasser la vaisselle de la veille en écoutant notre conjoint nous parler de son travail et le conseiller, lire un magazine rempli de conseils en écoutant le téléroman qu'on a enregistré pour éviter les annonces, manger en lisant les petites annonces pour dénicher un nouveau divan, parce que le nôtre a été dévoré par le chien, aller promener le chien pendant qu'on écoute de la musique pour relaxer, être obligée de relaxer pour de vrai pendant qu'on se fait manucurer, parce que nos mains sont occupées et que, cette fois, on ne peut rien faire d'autre en même temps...

Essoufflant, n'est-ce pas? C'est pas fini...

... faire l'épicerie rapidement pour aller chercher notre plus jeune à la garderie, glisser sur un haricot écrasé et tomber de tout son long dans l'allée… Le lendemain, aller se faire masser à cause de la maudite p'tite fève, rencontrer une ancienne collègue et être obligée d'aller boire une tisane « pour rattraper le temps perdu », c'est-à-dire écouter l'autre nous raconter ses déboires, les rénovations de sa maison et son choix de couleurs feng shui… Faire semblant qu'on a une urgence texto et que notre fille nous attend au cégep… Aller relaxer dans notre voiture pour savourer les bienfaits trop vite disparus de notre massage, puis aller faire un tour à la petite boutique ésotérique du coin et avoir envie de tuer la cliente qui se magasine un bol zen tibétain et qui teste le son de TOUS les bols… Se retenir de lui hurler : « Eille, la grande ! Laisse faire ton bol à cent piasses, prends un bol à salade en aluminium pis une cuillère en bois et fais siffler une bouilloire pour imiter le son ! Ça te coûtera pas une cenne pis t'écœureras personne dans le magasin ! »

Avoir de la sympathie pour le pauvre mari de cette femme, qui sera bientôt obligé d'endurer le bruit dudit bol tibétain… À moins qu'il soit parti, tanné d'avoir à manger ses chips en cachette parce que, depuis le virage ésotérique de sa femme, tout ce qu'il a le droit de grignoter, ce sont des craquelins au tofu allégé…

S'approcher ensuite du présentoir à cartes, où il y a tellement de choix qu'on ne sait jamais où donner de la tête :

- des femmes-anges qui baignent dans la lumière ;
- des arbres lumineux qui dégagent une aura de bonté ;
- des arcs-en-ciel qui portent des lunettes pour voir la vie de toutes les couleurs ;
- des anges de toutes sortes : lumineux, yin-yang, dodus, détendus, de jour, de nuit, parfumés, avec ou sans ailes (on se croirait presque dans le rayon des serviettes hygiéniques !) ;
- des cartes avec de petites perles et des fausses pierres intégrées…

Se faire expliquer par la propriétaire de la boutique que ces dernières sont des cartes-bijoux, et que la couleur de la pierre se rapporte à la date de naissance de la personne à qui on offre la carte. Craindre d'ouvrir une carte de peur qu'un ange nous *poppe* dans la face pour nous livrer un message...

Avoir envie de sortir rapidement de la boutique ésotérique, car il n'y a rien de reposant dans cet endroit, tout compte fait : le bruit des bols tibétains de Lise, les étagères surchargées, l'abus d'encens qu'on fait brûler dans un si petit espace et qui nous cause de l'asthme.

Se faire annoncer dramatiquement par la propriétaire que nos chakras sont mal alignés, que c'est pour ça que tout nous irrite, et qu'on devrait assister à son atelier sur comment rééquilibrer ses chakras, lundi soir prochain. Avoir envie de répondre :

– Lâche-moi le chakra, pis va donc éteindre ton encens ! Tu vas finir par déclencher ton alarme d'incendie. En passant, tes cartes sont vraiment laides et elles donnent mal au cœur – surtout à cause du prix ! À neuf dollars la carte, aussi bien s'offrir un tête-à-tête *live* avec un ange.

Mais répondre plutôt que son atelier nous intéresse et lui en demander la date. Prendre le dépliant d'information qu'elle nous tend, puis le mettre dans notre sacoche en sachant très bien que, dans quelques jours, on va devoir laver notre sac et tout son contenu parce que le dépliant empeste l'encens.

Puis remercier la gérante de la boutique, saluer l'autre cliente en lui souhaitant bonne chance avec ses bols tibétains et rentrer chez nous pour faire la vaisselle en parlant au téléphone, partir une brassée en brassant une sauce à spaghetti et, pourquoi pas, planter des bulbes en étendant son linge sur la corde.

Mille choses à la fois, chaque jour.

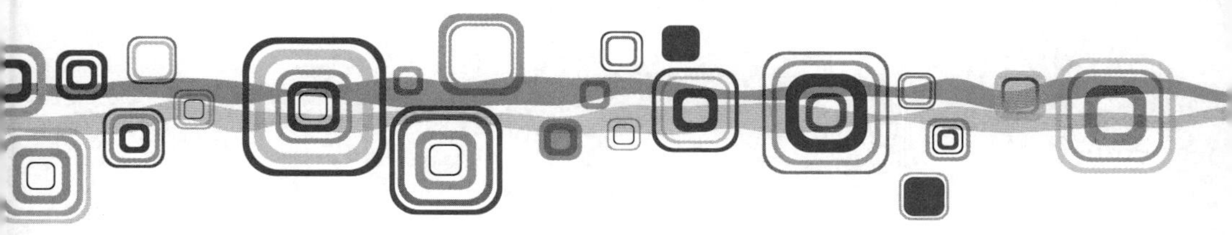

Corps accord

Dernièrement, je parlais à une de mes amies de mon corps en ces termes :

– Je suis dans mon plus laid et, pourtant, je ne me suis jamais sentie aussi belle !

Je revois l'air ahuri de mon amie, qui a aussitôt rétorqué :

– Voyons donc, t'es pas laide, Marcia !

– Je sais bien, mais on s'entend pour dire qu'il y a vingt ans, esthétiquement parlant, j'étais plus belle qu'aujourd'hui. Mais je ne le savais pas ! Je me trouvais plein de défauts qui n'existaient pas vraiment. Aujourd'hui, je sais bien que ces défauts m'ont trouvée pour de vrai !

Pour prouver mes dires à mon amie, je me suis pincé les bourrelets du ventre, je lui ai montré mes mentons, j'ai tiré sur mes paupières tombantes... Je ne suis pas allée jusqu'à enlever ma brassière pour démontrer que la loi de la gravité n'avait pas eu de pitié ; elle avait compris l'idée.

Lorsque j'étais adolescente, le père d'un de mes premiers *chums* pensait que j'avais une maladie de la peau ou un défaut corporel à cacher, parce que, pendant tout l'été, je me suis baignée dans sa piscine avec un long chandail. Si j'avais pu porter une combinaison de plongée, je l'aurais fait... Non, monsieur, je ne souffrais pas de vitiligo ni d'acné sévère... j'avais une « splendeur » à cacher!

Comment se fait-il qu'à l'époque où j'étais un « pétard », je me trouvais ordinaire? Je n'assumais pas mon corps. Lorsqu'on n'assume pas, on dénigre, et c'est ce que je faisais en portant ce chandail. Redonnez-moi ce corps aujourd'hui, et je vous jure que je vais aller faire mon épicerie en bikini, sans aucune gêne!

À quarante-sept ans, malgré le fait que je ne gagnerais aucun concours « miss Montérégie », je me trouve très *hot*. Pourquoi est-ce que je me sens plus belle qu'à vingt ans?

- Avec les années, j'ai passé un accord tacite avec mon corps. Un accord qui stipule que je n'ai plus le droit de le dénigrer, d'aucune façon. Un accord de paix. J'ai sorti mon drapeau blanc et mon corps est content.
- J'ai cessé de me comparer. Je ne remarque plus le corps des autres. Je ne vois que le mien et je ne le regarde plus avec les mêmes yeux.

Avec quels yeux, alors? me demanderez-vous. Ceux de la compassion. La plupart des gens qui ont eu à traverser une dure épreuve physique (une maladie ou un accident qui a laissé des séquelles, par exemple) vous diront qu'ils ne voient plus leur corps comme avant. Nous ne scrutons plus à la loupe notre enveloppe corporelle en fonction des standards de l'esthétisme, mais plutôt en fonction de l'amour et de la reconnaissance qu'on lui porte. C'est ce qui m'est arrivé. Je suis reconnaissante d'être en vie, de marcher, et je suis devenue la meilleure amie de mon merveilleux corps. Comment pourrais-je continuer à le mépriser, à le juger, à l'ignorer et à le bafouer? Il est allé au front pour moi!

Il y a un troisième facteur important qui explique pourquoi je me sens plus belle que jamais, en ce moment: l'amour inconditionnel d'un homme. Mon beau Cœur Pur ne remarque pas si j'engraisse, maigris, perds des cheveux, si j'ai des taches brunes sur les mains, un cou de poule ou les paupières tombantes. En tout cas, s'il le voit, il n'en fait pas de cas.

Cœur Pur affirme que nos corps sont faits l'un pour l'autre. Il aime ma peau douce, mes pieds, mes mains, mes pattes-d'oie... bref, l'ensemble de mon œuvre. Un jour, je lui ai demandé pourquoi il me trouvait belle même si mon corps et mon visage ont changé depuis qu'on s'est connus, et il m'a répondu ceci :

– Mon amour grandissant pour toi compense l'effet que le temps a sur ton corps. Et vu que je t'aime de plus en plus, c'est normal que je continue de te trouver de plus en plus belle !

Mon *chum* n'a pas besoin de me répéter qu'il m'aime, je le sens dans chacun de ses regards et de ses gestes, ne serait-ce que lorsqu'il ouvre les draps au moment où je vais le rejoindre dans le lit. Même s'il dort déjà, je sens qu'il est heureux de mon arrivée : son sommeil me le dit, il bouge et respire différemment, on se colle, on se prend la main et on vit notre bonheur, même en dormant.

J'aime aussi davantage mon corps qu'avant parce que je sais que la route qu'on parcourt ensemble prendra fin un jour. Le temps passe si vite, et il faut que j'en profite. Ces mains, ces yeux, ces jambes, ce grain de peau, ce « kit » qui venait en un seul exemplaire, c'est à moi qu'on l'a attribué. Je suis l'écrin qui saura le mettre en évidence.

J'ai des choses à me faire pardonner par mon corps. Je sais qu'il a eu de la peine d'être laissé pour compte, d'être méprisé, d'être ridiculisé, d'être toujours celui que je n'osais pas dévoiler « en attendant ». En attendant de réussir à garder un poids que je jugeais idéal, en attendant d'être plus musclée, en attendant... toujours et encore. Je ne veux plus attendre. Je veux l'aimer là, tout de suite, exactement comme il est, parce que je sais qu'il ne nous reste plus beaucoup de temps ensemble.

Mon cher corps, je te fais la promesse de toujours t'aimer. Même quand je serai toute ridée, je saurai que sous cette peau il y a une femme formidable qui a pu exister grâce à toi. Lorsque je retournerai en poussière, compost ou énergie (c'est selon le point de vue), j'aurai peut-être encore le souvenir de mes belles jambes qui marchaient, de mes bras forts qui enlaçaient, de mes mains douces qui touchaient, écrivaient et massaient, de mes yeux curieux qui voyaient, et de toutes les autres parties de ce corps qui auront été miennes pour une période de temps limitée, période qui a débuté en 1967.

Il y en a eu, des respirations et des battements de cœur pour te faire avancer, te purifier, t'oxygéner, te nettoyer, te régénérer, mon cher corps... Et tout ça naturellement, sans que j'aie autre chose à faire qu'exister, t'aimer, prendre soin de toi et enfin comprendre que toi et moi, c'est à la vie à la mort.

Merci, mon beau corps.

Actes

Vous êtes-vous déjà fait dire : « Arrête de te prendre au sérieux » ?

Moi oui. Souvent. Et je me rends compte qu'on devrait faire le contraire et dire : « Tant que tu ne te prendras pas au sérieux, tu ne pourras jamais voir tes désirs se réaliser. »

Le jour où je me suis prise au sérieux, c'est-à-dire le jour où j'ai enfin décidé de consacrer de l'argent, de la créativité, du temps, de l'énergie et du soutien à mes projets et à mes rêves, j'ai pris conscience que ça faisait longtemps que j'attendais ce moment-là. Le problème, c'est que je croyais que le bonheur viendrait des autres.

Vous êtes peut-être dans la même situation que moi à l'époque, dans l'attente d'une promotion, l'attente qu'on découvre ce talent que vous laissez caché parce qu'il aura plus de valeur s'il est découvert par quelqu'un d'autre, dans l'attente d'une occasion, d'une tribune, etc. Mais, tant que VOUS ne vous prendrez pas au sérieux, personne ne le fera pour vous.

Il en va de même pour l'attention qu'on a toujours voulu avoir et qu'on réclame à notre âme sœur. Votre partenaire ne pourra jamais combler ce besoin d'attention ou de reconnaissance tant qu'il n'est pas d'abord apaisé... par vous-même !

Dans un de mes cours de développement personnel, la phrase suivante était souvent écrite au tableau: «La vie ne peut faire plus pour toi qu'elle ne peut faire par toi.» Bref, mon avenir est entre mes mains, c'est à moi de donner la priorité à ce qui me fait vibrer depuis des années, d'écouter cette petite voix que je n'osais pas écouter avant. Il y a quelques mois, en écrivant mes pages du matin, je me suis rendu compte que les besoins des autres ont souvent passé avant les miens. (Je suis certaine que plusieurs d'entre vous vont se reconnaître...) Je me permettais de combler les miens seulement lorsque ceux des autres avaient d'abord été comblés. Le problème, c'est que «des autres», il y en a beaucoup, dans nos vies: nos enfants, notre conjoint, nos collègues, nos amies, nos parents, nos sœurs, nos frères, etc. Et des besoins, ils en ont aussi plusieurs, alors la liste n'a pas de fin... Je m'imposais l'obligation morale de mettre mes ressources (argent, créativité, temps, énergie, soutien) au service des besoins des autres et, après, s'il en restait, là je pouvais m'autoriser à les mettre à mon service.

Avez-vous remarqué que les premières lettres des cinq mots forment l'acronyme ACTES?

- **A**rgent;
- **C**réativité;
- **T**emps;
- **É**nergie;
- **S**outien.

C'est le mot magique qui me permet depuis quelques mois de prendre mes projets au sérieux. Comment? Chaque fois que je suis sur le point de mettre mon Argent, ma Créativité, mon Temps, mon Énergie ou mon réseau de Soutien au service des projets ou des désirs des autres, je me demande: «Marcia, est-ce que tes ACTES sont dirigés vers toi en premier?» Et, quand la réponse est non, je réajuste le tir. Ç'a l'air tout simple... eh bien, ce l'est! Depuis que je passe tous mes ACTES au tamis du «je me prends au sérieux», plusieurs des projets qui me tenaient à cœur depuis des années ont abouti comme par magie et, surtout, je remarque que je n'ai presque plus de frustrations. Vous le savez aussi bien que moi, c'est frustrant quand arrive notre tour de prendre une part du gâteau et qu'il ne reste que des miettes. Diriger mes actes vers moi, ça signifie me servir une assiette en premier lorsque je sers le souper (c'est-à-dire souvent), et prendre les plus beaux morceaux. Que les enfants le remarquent et chialent, ça ne me dérange absolument pas. Il y a eu les enfants rois, nous entrons maintenant dans l'ère des femmes reines! Des femmes qui comprennent l'importance de se prendre au sérieux. Parce que notre vie, c'est du sérieux!

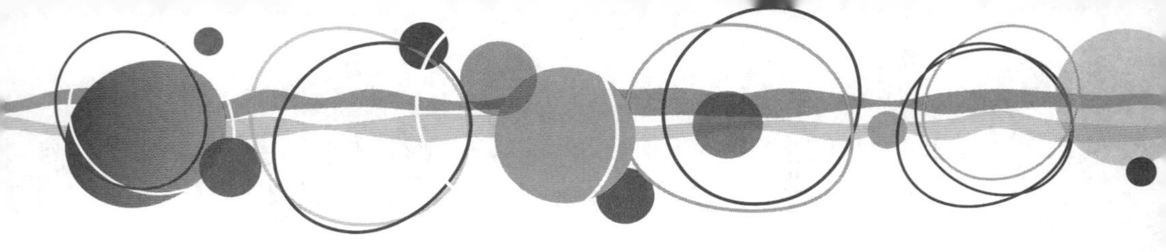

Je n'ai jamais compris pourquoi...

Je n'ai jamais compris pourquoi...

Il n'y a pas de fonction – du moins à ce que je sache – Remettre en minuscules un paragraphe qu'on a tapé en MAJUSCULES sans s'en apercevoir. Il faut toujours le réécrire au complet...

Je n'ai jamais compris pourquoi...

Personne n'a encore commercialisé de petits formats de pâte de tomate en conserve. La plupart des recettes nécessitent seulement une ou deux cuillères à thé et le reste s'en va directement à la poubelle!

Je n'ai jamais compris pourquoi...

Il n'y a pas de distributeur de lave-glace en vrac dans les stations-services. On remplirait notre réservoir comme on fait le plein d'essence.

Je n'ai jamais compris pourquoi...

Les policiers donnent des contraventions à ceux qui parlent au cellulaire en conduisant, mais pas aux femmes qui se mettent du mascara ou aux hommes qui se font la barbe au rasoir électrique en roulant (j'en vois souvent!).

Je n'ai jamais compris pourquoi...

Les retraitées qui font une sieste l'après-midi, avant d'aller au théâtre, ne pensent pas à se brosser les cheveux avant de partir et ont l'arrière de la tête « tapé ». On peut facilement deviner qui a fait une sieste dans la salle...

Je n'ai jamais compris pourquoi...

Les ados disent « genre » tous les deux mots. Sans doute pour se donner un genre!

Je n'ai jamais compris pourquoi...

Les femmes dans les annonces de yogourt dansent toujours en mangeant, alors que celles dans les annonces de chocolat ferment toujours les yeux en prenant une bouchée. Ça goûte meilleur?

Je n'ai jamais compris pourquoi...

Certains donnent un prénom composé à leur enfant qui porte déjà leurs deux noms de famille.

Je n'ai jamais compris pourquoi...

Dans les bonnets de maillots de bain taille forte, il y a du rembourrage.

Je n'ai jamais compris pourquoi...

Plus les ados puent, moins ils veulent se laver. Les ados qui prennent leur douche trois fois par jour et s'enferment dans la salle de bains pendant des heures ne sont pas ceux qui en ont le plus besoin.

Je n'ai jamais compris pourquoi...

Il n'y a pas d'avertissement sur les emballages de poulet ou de poisson pour nous dire d'enlever l'espèce de « serviette hygiénique » placée sous la volaille ou le poisson.

Je n'ai jamais compris pourquoi...

Les hommes qui mangent des arachides les brassent dans le creux de leur main (dans un mouvement de va-et-vient douteux à la hauteur de leur nombril), avant de se les mettre dans la bouche.

Je n'ai jamais compris pourquoi...

Certaines femmes de trente ans et plus s'entêtent à porter des chandails « bedaine » ou des leggings.

Je n'ai jamais compris pourquoi...

Il y a encore des gens qui enregistrent des messages interminables sur leur boîte vocale. Vous savez, le genre de message où tous les enfants de la famille parlent, ainsi que le chien ? C'est mignon à la première écoute, mais, après dix fois, vivement la fonction Dièse pour sauter tout ce blabla !

Je n'ai jamais compris pourquoi...

Dans les maisons de mes amies d'enfance, ou celles où j'allais garder, il y avait souvent un salon où les divans et les meubles chics étaient recouverts de housses en plastique et où on nous interdisait d'aller.

Je n'ai jamais compris pourquoi...

Certaines personnes changent une syllabe d'un sacre pour se donner bonne conscience. Exemples : « tabarslack » au lieu de « tabarnac », « clisse » au lieu de « crisse », « ostouche » au lieu d'« ostie »...

JE N'AI JAMAIS COMPRIS POURQUOI...

On est gênée de dire à quelqu'un qu'il a un p'tit quelque chose qui dépasse de son nez. Pourtant, lorsqu'elle va s'en apercevoir, ce sera trois fois plus humiliant pour la personne de constater que, pendant tout ce temps-là, vous faisiez semblant de ne rien voir, alors que c'était évident.

JE N'AI JAMAIS COMPRIS POURQUOI...

Tout le monde se bat pour manger le p'tit pain au milieu de la pizza. Quand j'étais jeune, il était délicieux, mais, de nos jours, il est dur comme de la roche et immangeable!

JE N'AI JAMAIS COMPRIS POURQUOI...

La plupart des gens oublient d'apporter leur serviette quand ils viennent se baigner chez moi.

JE N'AI JAMAIS COMPRIS POURQUOI...

Les femmes qui frisent se lissent les cheveux, et les femmes qui ont les cheveux raides se frisent.

JE N'AI JAMAIS COMPRIS POURQUOI...

On se sert une deuxième portion sans se sentir coupable quand on sait qu'on mange de la bouffe maison.

JE N'AI JAMAIS COMPRIS POURQUOI...

Il y a encore des gens qui s'acharnent à faire leur propre vin et à en servir à leurs invités. Ce n'est JAMAIS très bon et ça oblige les invités à mentir à leur hôte.

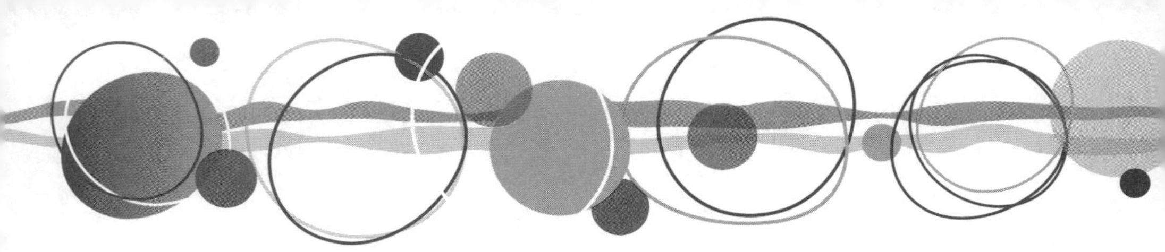

Je n'ai jamais compris pourquoi...

Même point que précédemment, mais en remplaçant le mot « vin » par le mot « sushi ».

Je n'ai jamais compris pourquoi...

Les sans-abri à qui je donne de l'argent (plus de dix dollars) veulent toujours m'embrasser ou me faire un gros câlin, alors que je n'en ai pas nécessairement envie. C'est délicat de leur dire : « Garde-toi une p'tite gêne » ou « Tu donneras ton câlin au suivant »...

Je n'ai jamais compris pourquoi...

Les rouleaux de papier hygiénique ne sont jamais assez « lousses » dans les endroits publics. Quand on est accroupie, contorsionnée, c'est souvent impossible de tirer la quantité dont on a besoin sans tout déchirer.

Je n'ai jamais compris pourquoi...

On dit : « Je m'excuse. » On devrait plutôt dire : « Est-ce que *tu* m'excuses ? » Car le pardon, on doit l'obtenir de la personne qu'on a offensée, pas de nous-même !

Je n'ai jamais compris pourquoi...

Les écolos qui tiennent à tout laver avec des produits écolos ne se rendent pas compte qu'ils perdent leur temps : on ne voit aucune différence entre une vitre lavée au vinaigre et essuyée avec du papier journal, et une vitre pas lavée pantoute.

Je n'ai jamais compris pourquoi...

Certains enfants sortent la langue sur le côté lorsqu'ils dessinent.

JE N'AI JAMAIS COMPRIS POURQUOI...

Les gauchers font exprès d'écrire avec la main tordue, comme si c'était un exercice douloureux.

JE N'AI JAMAIS COMPRIS POURQUOI...

Certains parents donnent à leurs enfants des noms qu'ils devront épeler ou répéter toute leur vie. Exemples : Daphnie au lieu de Daphnée, Maxine au lieu de Maxime.

JE N'AI JAMAIS COMPRIS POURQUOI...

Les gens qui ont un handicap visible (jambe ou bras amputé, visage brûlé, etc.) et dont on fait la connaissance au téléphone ne nous avertissent pas avant qu'on les rencontre en personne. Ils savent bien qu'on figera en les voyant et qu'il y aura un malaise.

JE N'AI JAMAIS COMPRIS POURQUOI...

Quand les hommes chauves retirent leurs lunettes fumées, ils les placent en plein milieu de leur front plutôt que sur leur tête (comme le font les chevelus). Ils ne se rendent pas compte qu'ils ont l'air d'avoir deux paires d'yeux...

JE N'AI JAMAIS COMPRIS POURQUOI...

La plupart des gens se mettent à parler comme des déficients lorsqu'ils s'adressent à des personnes âgées, des bébés ou des chiens.

Et vous, le savez-vous, pourquoi ? ;)

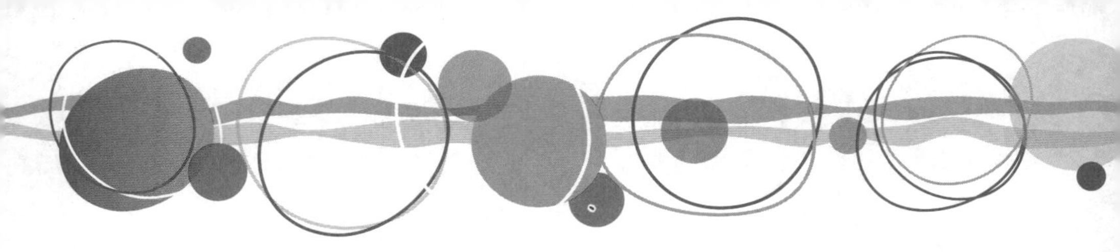

Plantes et jardins

J'aime la nature et les animaux, mais je vous avoue ceci : j'ai de la difficulté avec les *passionnés* de la nature et les *amoureux* excessifs des animaux. Je n'ai jamais connu une seule personne qui aimait les plantes et qui, avant de me faire faire le tour de ses plates-bandes, prenait soin de me demander si ça m'intéressait.

Pourtant, ce n'est pas parce qu'on est passionnée par quelque chose et qu'on en parle avec passion que c'est nécessairement passionnant !

Par exemple, je suis une *fan* finie de littérature, mais je n'en parle pas à la caissière de l'épicerie, au chauffeur de taxi ou à ma voisine. Quand je reçois de la visite, je ne lis pas des extraits à voix haute à tout le monde, je ne cours pas non plus après mes invités avec un livre ouvert à la main pour leur réciter des passages qui m'ont marquée, et ce, même si je sais que ce sont aussi des passionnés de lecture.

Pour ma part, je vis un malaise quand mes amies me parlent de leurs fleurs et de leur jardin. Plantée au gros soleil, je n'ai qu'une envie : aller boire un verre de vin à l'ombre !

Alors je me suis posé la question : qu'est-ce qui te dérange là-dedans, Marcia ? L'aspect technique de ce passe-temps me rebute complètement : les boutures, les annuelles, les vivaces, les fines herbes, l'humidité de la terre, les vignes grimpantes qu'on doit aider à grimper, sinon elles sacrent le camp (comme moi quand on se met à parler de plantes et de jardins !), etc. Si une amie me parle de ce qu'elle a ressenti en jardinant, si elle me raconte comment le jardinage l'a aidée à traverser telle ou telle période de sa vie, je vais l'écouter de mon oreille la plus attentive, plantée debout, au gros soleil, pendant des heures. Ses fleurs me sembleront tout à coup plus belles, car je saurai que ses mains, qui ont joué dans la terre, étaient des mains de femme triste. Qu'elles ont créé un décor qui lui a fait un grand bien, alors qu'elle-même arrachait la tristesse qui avait pris racine dans son cœur. Voilà ce qui m'intéressera.

Le summum des visites de jardin, c'est être reçue chez un couple qui partage cette passion. C'est une expérience éprouvante pour quelqu'un comme moi. Pendant que Lise te parle de ses plates-bandes, Gilles ajoute son grain de sel (je devrais plutôt dire : son grain de terre). Parfois, il se met même à quatre pattes pour te montrer une racine qui pousse, mais toi, tout ce que tu vois, c'est la racine de ses fesses. Eh oui ! Les jardiniers, tout comme les plombiers, ont une craque ! À la différence que la leur est bronzée...

Avez-vous déjà remarqué que ces mêmes personnes qui nous font visiter leurs plates-bandes sont souvent celles qui s'approprient tout avec un abus de déterminants possessifs ? MES fleurs dans MON jardin, MES castors dans MON lac. Ce ne sont pas TES castors, ils appartiennent à la faune canadienne !

Étrangement, ils possèdent seulement ce qui est beau... Jamais on ne les entendra dire MES mauvaises herbes ou MES mouffettes ! Donc, j'en conclus que les déterminants possessifs leur sont utiles juste pour se donner de l'importance, pour se vanter.

Mais il y a pire que la visite guidée du jardin du couple aux pouces verts... Souvent, ce même couple possède toute une collection de photos de voyages, qu'il affiche bien en évidence sur les murs de sa maison pour pouvoir te les montrer une à une lorsque tu fais la gaffe d'entrer. On passe des graminées aux laminés en moins de deux, forcée d'entendre chaque interminable récit de voyage...

Moi, si j'ai envie d'un récit de voyage, je vais m'acheter un billet pour Les Grands Explorateurs, où je serai assise confortablement, tout en sachant ce qui m'attend : un pays présenté en particulier, une projection d'une durée fixe, des informations pertinentes livrées par des communicateurs professionnels... pas par deux émotifs, les yeux qui roulent dans l'eau, qui arrêtent de parler toutes les dix secondes parce qu'ils viennent de se remémorer une tranche de vie touchante !

Bon, j'ai fini mon verre de vin, je vais devoir retourner auprès de Gilles et Lise, qui sont encore debout devant leurs bégonias. Ils étaient tellement émus par toute cette splendeur qu'ils ne se sont même pas aperçus que je m'étais éclipsée...

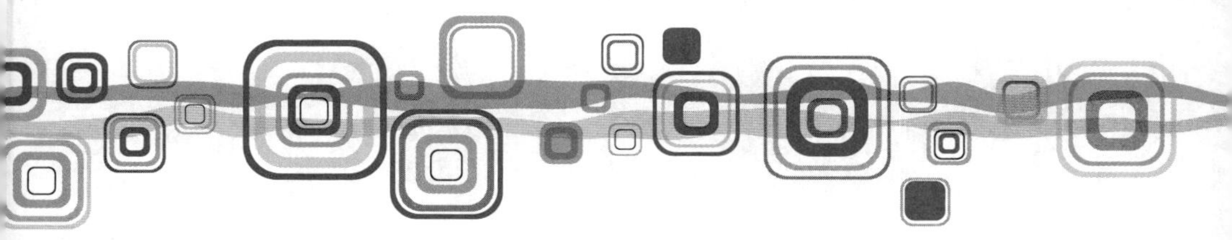

Bien se traiter

Ça me fait toujours rire (ou grimacer, c'est selon) quand je feuillette un magazine et que je m'arrête sur des articles qui conseillent les femmes, dans la section « mieux-être ». Pourquoi suis-je agacée à la lecture de ce type de contenu ? Parce que je trouve qu'on s'y prend rarement de la bonne façon pour que ces conseils s'appliquent de façon concrète dans notre vie quotidienne. On nous rappelle l'importance de « savoir poser ses limites », de « communiquer ses attentes », de « savoir déléguer », d'« apprendre à dire non » et de « se faire passer en premier ». Tout ça semble avoir bien du sens, mais, quand on aura refermé le magazine, qu'est-ce qui aura concrètement changé dans notre vie ? Est-ce que ces informations auront un impact sur notre quotidien ? Je ne crois pas.

De plus, j'ai toujours l'impression que ces articles ne s'adressent pas à moi, car ils ne tiennent pas compte de ma réalité. Peut-être que c'est moi qui suis trop nulle pour mettre leurs conseils en pratique, mais, chaque fois que j'essaie, ça ne fonctionne pas...

Se faire passer en premier

Facile à dire ! Je ne demande que ça, mais c'est beaucoup plus difficile que c'en a l'air. Écrivez plutôt un article qui m'expliquera *pourquoi* c'est si difficile, par quoi je dois commencer si je veux y arriver (avant ma ménopause), mais, surtout, arrêtez de me dire que je dois mettre ma culpabilité de côté quand je m'enferme dans la salle de bains pour lire un bon livre et relaxer. Parce que, pendant ce temps-là, tout le reste ne se fait pas et, après mon moment de détente, je dois plonger mes mains dans l'eau de vaisselle, commencer une petite brassée et vider la litière du chat. Le psy qui a écrit l'article me dirait : « Ma pauvre fille, il te faut apprendre à déléguer ! »

Apprendre à déléguer

Viens donc essayer de déléguer, dans ma maison, quand ça fait dix ans que tout le monde se fie à moi pour tout ! C'est dès le lendemain de mon accouchement que j'aurais dû commencer à déléguer, mais personne ne m'avait avertie que c'était la base d'un bon fonctionnement familial... J'avais plutôt appris le contraire en voyant ma mère et mes tantes au service de tout le monde, tout le temps, et j'ai cru que, dès qu'on devenait mère, ce genre de chose allait de soi, comme si c'était inscrit dans nos gènes !

Apprendre à dire non

Je suis d'accord que vous, magazines féminins, me donniez ce conseil, mais prévenez-moi que ça ne se fait pas en deux jours, que je dois commencer à m'exercer tout de suite, parce que je ne serai pas capable avant dix ans. Avisez-moi que ça va créer des conflits et montrez-moi comment les gérer, donnez-moi le nom de gens qui offrent des formations pour y parvenir, etc. Mais, de grâce, ne me dites pas en un paragraphe que je devrais apprendre à dire non. Pensez-vous que je n'ai pas souvent envie de dire non ? Dire non aux brunchs interminables du dimanche, aux soupers de couples entre amis le samedi soir, aux anniversaires d'enfants passés debout à essayer de boire une bière pendant que dix macaques nous courent autour et que vingt-cinq autres se font « gosser » des animaux en ballon par un clown ? Pensez-vous que je n'aimerais pas éviter tous ces barbecues où je suis invitée à cuire au gros soleil sur un patio étroit, à surveiller les enfants qui crient dans la piscine hors terre et à me faire garrocher de l'eau pendant que les hommes discutent pelouse et tondeuse près du nouveau cabanon fait de matières recyclées ?

Après y avoir réfléchi longuement, j'ai eu l'idée de regrouper tous ces thèmes (prendre soin de soi, apprendre à dire non, déléguer, poser ses limites et se faire passer en premier) sous un terme qui existait déjà et qui, selon moi, rejoindra davantage les femmes : la « bientraitance ».

Cessons de penser que le fait de bien se traiter est exclusivement rattaché aux soins corporels ou à des pauses agréables qu'on inscrit à son agenda (aller dîner avec une amie, au cinéma, etc.). Dans ce genre de contexte, ce n'est pas très difficile, de bien se traiter. Moi, un verre à la main, relax sur une terrasse, je n'ai pas trop de problèmes. Là où le défi se présente, c'est dans le tourbillon de la vie quotidienne. Qu'est-ce que ça veut dire, bien se traiter au quotidien ?

C'est se poser la question suivante avant de faire quoi que ce soit :

« Est-ce que c'est de bien me traiter que de... »

Prenons une situation qui revient plusieurs fois par semaine et qui est souvent source d'exaspération : l'épicerie. La plupart des femmes que je connais vont à l'épicerie deux à trois fois par semaine, à l'heure de pointe, ne sachant pas trop quoi répondre à la question : « Qu'est-ce qu'on mange pour souper ? » Elles ont faim, leurs enfants aussi, et ils le lui font savoir en se roulant par terre, en ouvrant une tablette de chocolat à la caisse ou en piquant une crise monumentale

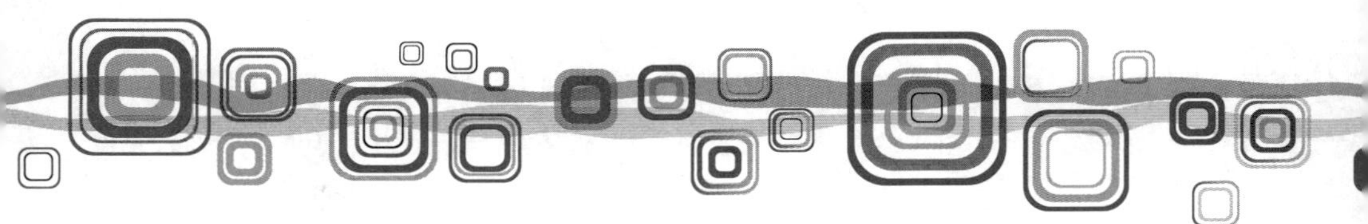

dans l'épicerie. Bref, toutes les conditions sont réunies pour qu'elles soient À BOUT !

Donc, la question est la suivante : « Est-ce que c'est de **BIEN ME TRAITER** que d'aller faire l'épicerie à dix-sept heures quarante-cinq avec les enfants, et ce, trois fois par semaine ? » La réponse sera de toute évidence : NON.

Ensuite, il faut enchaîner avec une seconde question : « Ç'aurait l'air de quoi, de bien me traiter, quand je fais l'épicerie ? »

Bon, c'est une tâche nécessaire, car l'être humain a besoin de se nourrir pour vivre, mais est-ce qu'on peut au moins imaginer la façon idéale de l'accomplir ? Oui.

En ce qui me concerne, mon scénario idéal est d'aller seule à l'épicerie, une fois par semaine, tard le soir, avec une liste où figurent les ingrédients de cinq recettes choisies au préalable. J'apporte même ma propre musique pour que ce soit plus agréable, car je n'ai aucune envie d'entendre des publicités subliminales sur les rabais de la circulaire, pendant que je pousse mon chariot ! Oui, il faut fournir quelques efforts pour rendre cette corvée beaucoup plus agréable, mais ça en vaut la peine. Pourquoi ? Parce que j'ai envie de bien me traiter, peu importe la situation. Ça fonctionne vraiment, je vous le jure. Vous ne m'entendrez jamais chialer à propos de l'épicerie, car je sais maintenant la faire à ma façon et comme je l'aime !

Il est donc important de se poser la question « est-ce que c'est de bien me traiter que de... » avant chaque activité du quotidien et de trouver sa propre formule idéale, celle où la bientraitance sera mise de l'avant.

Voilà un concept que j'aurai peut-être la chance de traiter si un jour j'ai ma propre chronique « mieux-être » dans un magazine, ou, mieux encore, mon propre magazine, où vous trouverez des outils concrets tenant compte de votre réalité. Promis !

Situation 1, où je ne me traite pas bien en allant à l'épicerie.

Situation 2, où je me traite bien !

AAA

Si on me demandait de décrire ce qu'est pour moi le développement personnel, je répondrais par la première lettre de l'alphabet, trois fois : **A**vancer **A**vec **A**mour.

Avancer sur le sentier de ma vie, même si j'ai parfois l'impression de faire du surplace. Avancer avec amour, en me traitant tendrement pour que j'aie envie de continuer. Avancer tout en sachant que, si j'ai besoin de me reposer parce que la route est trop difficile, je pourrai le faire, car la vie me portera sur son dos.

Je me suis peut-être parfois trompée de chemin, je n'ai pas toujours pris le plus court, mais au moins j'ai avancé. J'ai toujours su trouver la force de continuer à mettre un pied devant l'autre, bien ancrée dans le moment présent, consciente de mes pieds qui foulaient le sol, ce sol que je découvrais à mesure, parfois rocailleux, parfois sablonneux, parfois vert. Avancer un pas à la fois, tout en ayant la sensation profonde que je suis déjà arrivée à destination. Parce que s'y rendre, c'est aussi y être…

Lorsqu'on regarde les publicités télévisées, les magazines et la plupart des téléromans, le chemin de ceux qu'on y voit semble tracé d'avance. Tout le monde a l'air de savoir où il s'en va. Moi, je n'ai jamais vraiment su où j'allais, mais j'ai toujours su où je *voulais* aller. Ce n'était pas un endroit ni un contexte précis, du genre : dans dix ans, je voudrais être mariée, avoir des enfants, une maison, des REER... Je m'en voulais, même, d'être incapable de suivre ce chemin que la plupart des gens empruntent, parce que j'avais l'impression de me compliquer la vie. Je me disais souvent :

– Ma voisine n'a pas l'air de se poser toutes les questions que je me pose... J'aimerais donc ça, être comme elle !

Mais, en même temps, chaque fois que je jasais avec cette voisine, je ne voyais pas cette lueur au fond de ses yeux, cette étincelle qui caractérise les gens qui avancent sur le chemin de leur vie. Je ne dis pas que toutes les femmes qui ont un parcours traditionnel ne sont pas heureuses. Je dis plutôt que les femmes, comme moi, qui souffrent de ne pas suivre le parcours traditionnel ont une sorte d'étincelle au fond des yeux, qui leur permet d'avancer malgré la noirceur.

Ce n'est qu'à la mi-trentaine que j'ai cessé de vouloir emprunter le chemin d'une autre. À ce moment-là, j'ai commencé à assumer le mien, sachant de toute façon que je n'avais pas le choix, si je voulais avancer.

À l'âge de seize ans, sur une page de calendrier dans la salle de bains d'une amie de ma mère, j'ai vu la photo d'une plage, avec des traces de pas sur le sable. L'image était accompagnée de l'histoire suivante (que j'ai évidemment transposée au féminin).

Une femme arrive au ciel et fait le bilan de sa vie avec Dieu (ou Bouddha, l'Univers, une Puissance Supérieure... appelez ça comme vous voulez). Dieu lui dit qu'il a toujours été là pour elle, avec elle, qu'il a toujours marché à ses côtés. Ils regardent ensemble l'évolution de la femme – caractérisée par les traces de pas sur le sable – et remarquent effectivement la présence de deux paires de pieds qui avancent côte à côte. La femme demeure aigrie et répond à Dieu qu'elle se sentait pourtant terriblement seule, dans les moments difficiles où avancer était pénible. Dieu lui réitère qu'il était présent, SURTOUT dans les moments difficiles.

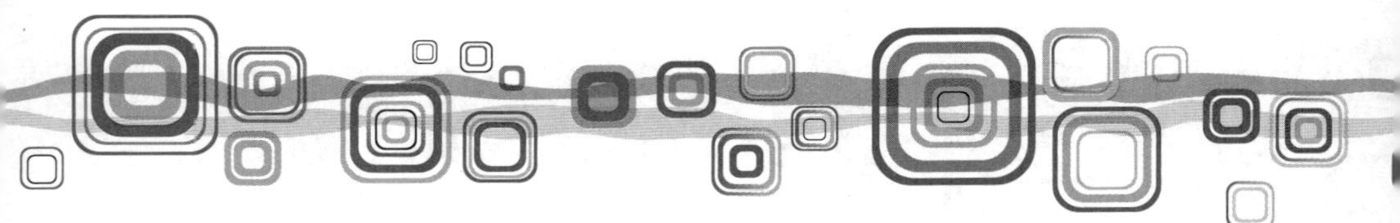

Doutant toujours, la femme scrute le sable et montre à Dieu certains passages où il n'y a qu'une paire de traces de pieds.

– Tu vois, je marchais seule à cette période de ma vie! affirme-t-elle. Tu m'as laissée tomber, il n'y a que mes pas...

– Ma belle, lorsque tu ne vois que deux traces, c'est que je te prenais sur mon dos! répond Dieu.

J'aime penser que, dans les moments difficiles, la vie m'a prise sur son dos pour que je continue d'avancer. Peut-être pas physiquement, mais spirituellement. Et je crois que c'est ce qui m'a permis de toujours vouloir continuer. Il ne m'arrive plus de croire que je suis seule. Si je ne vois que deux traces de pas, je sais que ce ne sont pas les miennes...

Il y a quatre ans, la maladie que j'ai eue m'a laissé des séquelles permanentes qui font en sorte que je ne peux plus avancer aussi vite que je le voudrais. Je ne pourrai plus jamais courir, sauter ou danser de ma vie. Même si je n'ai jamais été une adepte du jogging, savoir que je ne pourrai plus m'y adonner m'a beaucoup peinée. Depuis, je rêve au moins une fois par semaine que je cours sur un sentier dans les montagnes ou sur le bord de la plage... C'est au moment où on les perd que nos capacités se mettent à nous manquer, c'est fou! Curieusement, c'est lorsque j'ai été le plus limitée physiquement (incapacité à marcher) que j'ai réussi à faire le plus grand bout de chemin intérieur.

La vie connaît toujours la route qu'il faut qu'on suive pour se rendre à destination, même si la destination n'a souvent rien à voir avec l'endroit où on pensait aller... et c'est tellement pour le mieux!

P.-S.: Si vous tombez en panne, sur la route de la vie, vous savez maintenant que ce n'est pas le CAA qu'il faut appeler, mais le AAA! ;)

Génération-surprise

Trouvez-vous ça aussi exagéré que moi, un bal des finissants en sixième année du primaire? Non mais, je veux bien être de mon temps et m'adapter, mais il y a des événements que je ne cautionne pas. Vous pouvez me dire que je n'ai pas le sens de la fête, que je suis «castrante», que je vais traumatiser mes enfants, mais je vous répondrai que je n'aime pas célébrer obligatoirement (et superficiellement) un événement qui, pour moi, n'en est pas un. La fin du primaire est un passage, une étape, pas un événement. Que les enfants organisent un petit party entre eux pour se dire adieu, pas de problème, mais que les parents, les grands-parents et le maire de la ville soient invités, que les enfants portent des toges et des mortiers et se fassent remettre un diplôme... tout ça me rend perplexe. Quel message envoie-t-on à nos jeunes? Qu'ils sont le centre de l'Univers et qu'un simple passage du primaire au secondaire (qui allait de soi à mon époque) doit absolument être souligné en grande pompe?

Ce qui me dérange dans ces célébrations, c'est qu'elles ne sont jamais gratuites. Des coûts relativement importants y sont rattachés. Les petites filles veulent avoir de belles robes, des souliers neufs et LE manucure à la mode, tandis que les garçons veulent aller chez la coiffeuse pour avoir la coupe Justin Bieber. C'est habituel, pour un enfant, de vouloir des choses tout le temps, mais ce qui m'étonne, c'est de voir à quel point les parents sautent à pieds joints dans cette frénésie... tout en chialant que ça coûte donc cher!

– Je ne peux pas dire non à sa coupe de cheveux à quarante dollars... c'est son bal! Normal qu'il veuille être le plus beau...

– Toutes les autres petites filles vont avoir un manucure français... je ne pouvais pas lui refuser ça!

Je ne pouvais pas lui refuser ça! Il est exactement là, le problème. Et il n'a pas commencé lors des préparatifs pour le bal des finissants des sixième année, mais très tôt, dès que l'enfant a su parler et qu'il a compris que ses parents seraient incapables de lui refuser ses caprices. Ces mêmes parents qui ne veulent donc pas le «traumatiser» en lui imposant ce dont il n'a pas envie (prendre sa douche, faire son lit, se brosser les dents, etc.). Ses géniteurs veulent lui donner l'impression que c'est lui qui décide. Et, si le pauvre petit chou est contrarié, eh bien, il reçoit une surprise! L'enfant aura donc appris rapidement à être *souvent* contrarié pour avoir des surprises. Vous seriez étonnées de voir le nombre de parents qui élèvent leurs enfants à coups de surprises...

– Tu te brosses les dents? Bravo, tu as droit à un tube de dentifrice spécial, qui fait jouer tes chansons préférées!

– Tu fais encore pipi dans ta couche à trois ans? Voilà des super Pull-Ups avec de belles étoiles fluo qui scintillent!

– Tu mets ton assiette sale dans l'évier après avoir mangé? Bravo, c'est tellement formidable à l'âge de sept ans! On colle un beau bonhomme sourire sur le calendrier!

– Tu ranges ta chambre parce que tu veux retrouver ton iPod que tu as perdu dans ton fouillis? Wow, on te donne de l'argent de poche pour avoir fait le ménage!

– Pour te remercier d'avoir fait tes devoirs sans chigner, on décide de te faire une surprise en t'amenant manger un «joyeux quelque chose» dans un restaurant. Tu ouvres ta petite boîte-repas et il y a une autre surprise qui t'attend!

Dans mon temps (oui, oui, j'ai bien dit *dans mon temps*! Je commence à être vieille!), il y avait trois possibilités de surprises, dans trois situations bien précises:

- Celle qu'on avait le droit de choisir après notre visite annuelle chez le dentiste (une bague, un cahier à colorier ou des autocollants).
- Le sac à surprises (qui coûtait dix sous au dépanneur) que nous recevions une ou deux fois par année (si on était chanceuse), de la part d'une tante en visite. Contenu du sac: une gomme balloune, une réglisse et un jouet en plastique dont la durée de vie était de cinq heures.
- La surprise dans la boîte de céréales, éternelle source de conflits familiaux. Tout le monde sait que c'est l'enfant le plus matinal, qui plongeait la main dans la boîte le vendredi matin (lendemain de l'épicerie), qui devenait propriétaire de l'objet tant convoité. Les autres enfants avaient beau péter une coche, personne ne s'en préoccupait!

Aussi notre propension à demander à notre progéniture «ça te tente-tu?» chaque fois qu'il y a une TQNA (tâche quotidienne non alléchante) à accomplir n'est-elle pas étrangère à son comportement d'enfant roi.

– Ça te tente-tu de venir à l'épicerie avec maman?

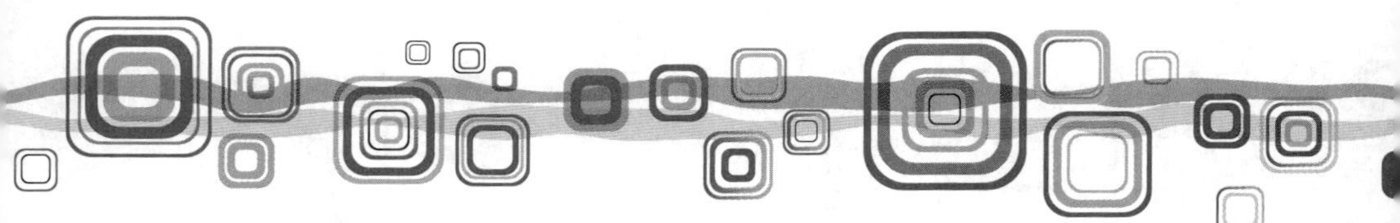

– Ça te tente-tu de prendre ton bain?

– Ça te tente-tu de mettre ton assiette dans le lave-vaisselle?

– Ça te tente-tu d'appeler ta grand-mère pour sa fête?

– Ça te tente-tu d'aller ranger tes vêtements dans le tiroir de ta commode?

Quel est le rapport des surprises et des «ça te tente-tu» avec le bal des finissants? me demanderez-vous. Il y a un lien direct de cause à effet. Dans une société où on ne voit pas comment élever nos jeunes autrement qu'en enfants rois, ne nous surprenons pas si tous les événements «ordinaires» de leur vie sont soulignés comme des événements de première importance.

J'ai eu à traverser deux fois l'épreuve du bal des finissants de cinquième secondaire, avec mes filles. Pour Adèle, c'était il y a onze ans. Je lui avais donné un budget de cent dollars pour l'achat de sa robe, de ses souliers, des soins esthétiques (coiffure, manucure, etc.), pour ses consommations, le transport ainsi que tous les autres extras. C'était ma contribution. Si elle voyait plus grand, elle devait se trouver d'autres sources de financement. Puisque la plupart des parents embarquent dans le bateau de la surconsommation et paient des prix de fou pour leur rejeton qui finit le secondaire (limousine, chambre d'hôtel, robe de princesse achetée sur la Plaza St-Hubert, bijoux, souliers...), ma fille s'est révoltée devant mon «budget de misère»! J'ai eu droit à des claquages de portes et à une crise d'adolescente en furie, mais je n'ai pas bronché et j'ai insisté:

– Si tu peux t'offrir un bal à mille dollars, gâte-toi, ma belle! Quitte à organiser un téléthon! Mais moi, ma contribution sera de cent dollars, point final.

– C'est ça, on est pauvres!

– Même si j'étais millionnaire, tu disposerais du même montant! Ce n'est pas dans mes valeurs de jeter mille dollars par la fenêtre pour une soirée. Par contre, si tu me demandais ce montant pour un voyage d'études à l'étranger, là, ce serait une autre histoire...

Mais ça, elle ne l'a pas entendu, car elle a claqué la porte de sa chambre et monté le volume de sa musique au maximum... Finalement, elle l'a eue, sa robe à trois cent cinquante dollars... elle est même allée la magasiner à New York! Mais n'allez pas croire que j'ai flanché, non, c'est sa tante riche (du côté de son père), qui trouvait que sa nièce avait donc une mère ingrate, qui est venue à son secours.

Quant à Madeleine, son bal a eu lieu l'an dernier et j'ai agi de la même façon. Sa réaction a été moins violente, car elle avait été témoin du traitement «infligé» à sa sœur plusieurs années auparavant, et elle savait donc ce qui l'attendait. Elle avait eu le temps de s'y préparer...

Si vous pensez qu'Adèle a été traumatisée par ma décision, sachez que, cinq ans plus tard, lorsqu'elle a obtenu son diplôme en droit à l'université, son discours était tout autre! Ses amies voulaient louer une chambre d'hôtel, une limousine et s'acheter les plus belles robes, et devinez QUI a freiné les ardeurs de tout ce beau monde? Adèle leur a lancé:

– Les filles, on est des étudiantes, on n'a que des prêts et bourses, on ne va pas dépenser cinq cents dollars pour notre bal! On mettra des robes qu'on a déjà, on ne se louera pas de chambre d'hôtel et on se fera un cinq à sept avant d'aller au bal, ici, chez moi, pour que ça nous coûte le moins cher possible. Et vous savez quoi? On va avoir autant de plaisir!

Nul besoin de vous dire que j'étais fière de ma fille et fière d'avoir tenu mon bout pendant toutes ces années, même si j'étais alors à

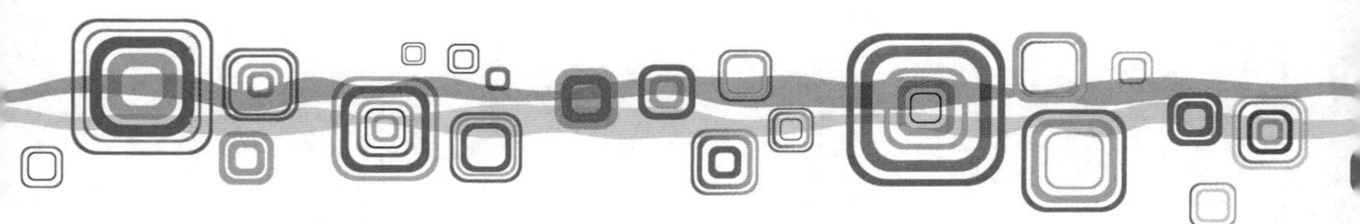

contre-courant et même si je me faisais dire que j'étais la pire mère du monde.

Madeleine à son bal.

Adèle à son bal.

La femme-pieuvre

Savez-vous ce qui fait chuter dramatiquement mon indice de bonheur? C'est de me lever et d'avoir l'impression que tout le monde a conspiré à retarder le moment où ma journée débute vraiment, c'est-à-dire le moment où, seule dans mon bureau, en silence, je commence à écrire.

Aujourd'hui, je ne pourrai pas commencer ma journée de travail avant dix heures trente, parce que, dans la cuisine, ça sent le poisson. Ma fille a préparé son lunch avec une conserve de thon et elle a laissé du jus de thon sur le comptoir. Mon *chum* est dans le salon, levé depuis deux heures, et il lit le journal tranquillement. La minuterie de la cuisinière est détraquée et elle fait bip toutes les trois minutes, ce qui n'a pas l'air de le déranger. Je voudrais lui asséner un coup de batte de baseball (pas à mon *chum*, à la minuterie), mais je me retiens. J'essaie d'agir avec douceur et calme, sauf que plus j'appuie sur les boutons pour la faire taire, plus elle émet des bruits bizarres. Je rends les armes. J'endurerai ce bruit intermittent toute la journée... J'ai tout à coup le vif sentiment que la nature n'a pas doté les hommes et les femmes du même système auditif. Deux possibilités: 1) on n'entend pas les mêmes fréquences; 2) notre degré de tolérance est très différent.

J'ai une amie qui me racontait que son *chum* ne se réveillait jamais lorsque leur bébé pleurait la nuit. Puis, une nuit, il s'est levé en sursaut et a crié : « Mon Pathfinder, mon Pathfinder ! » Il venait d'entendre le système d'alarme de son précieux véhicule, pourtant garé à l'autre bout de la rue (à Montréal, difficile d'avoir un stationnement en face de chez soi...).

Je poursuis ma petite tournée de la maison, espérant ne rien trouver et enfin pouvoir aller écrire. Il y a un petit sac blanc sur le balcon. Il faudrait penser à aller le porter dans la poubelle que j'ai mise au chemin. Coudonc, y a juste moi qui vois ce qu'il y a à faire ? Y a juste moi qui vis dans cette maison ou quoi ? Je ne veux pas commencer à évaluer si la répartition des tâches est équitable (j'ai déjà donné à ce sujet, dans une autre vie), mais, ce matin, je ne peux pas faire autrement. J'aime ma fille, j'aime mon *chum* et ses enfants, mais je m'aime d'abord et avant tout. J'aime écrire, j'aime travailler, j'aime répondre à tous mes messages, et, dans le bordel de ce lundi matin, j'en suis incapable !

Avant, je ne disais rien. Je croyais que c'était normal et que ce genre de tâches me revenait. Avant, c'était ça tous les jours, toutes les heures ! Je ne sais pas comment je faisais... Je travaillais à la maison, avec un enfant de deux ans à côté de moi, et je me dépêchais d'aller faire un bricolage entre deux appels téléphoniques. J'avais choisi de faire garder mes enfants uniquement en cas d'extrême nécessité, mais cela impliquait que je passe toujours en dernier. Mon conjoint de l'époque était associé dans un bureau de comptables et donc absent quatre mois par année, pendant la période des impôts. Et j'étais déjà mère d'une adolescente, que j'avais avec moi une semaine sur deux. Quand elle arrivait à la maison, c'était le traitement royal, comme si je voulais compenser la semaine qu'elle venait de passer chez son père :

– Je vais te préparer tes plats préférés, on va se louer un film quand la petite sera couchée, et manger du pop-corn, je vais te faire les ongles, tu choisiras la couleur de ton vernis...

À ça s'ajoutait une petite frisée de deux ans qui avait des problèmes de sommeil et que je devais endormir dans mon lit pour être certaine que ce soit fait avant minuit... Un bureau à la maison et des clients qui exigeaient beaucoup... Un *chum* qui n'acceptait pas que je refuse des contrats... J'aurais dû dire : « Un instant ! J'ai déjà pratiquement une job à temps plein, en tant que mère ! » On ne veut pas faire garder notre enfant, on veut avoir une carrière, on veut passer du temps de qualité avec notre adolescente malgré la séparation, on veut une vie de couple soutenue, on veut une vie sociale intense... Wô ! Il y avait quelque chose qui ne fonctionnait pas et j'avais la vague impression d'y perdre au change.

Pourquoi ? Parce que je suis gentille, conciliante et que je veux le bien de tout le monde. Parce que j'ai de l'énergie et que je suis capable d'en prendre. Parce que presque toutes les femmes que je connais font de même et que tout le monde s'attend à ça de nous. Parce qu'on est capables de faire mille choses à la fois, parce qu'on est conditionnées de la sorte, parce qu'on a le sens de l'humour, parce qu'on a la fibre maternelle, parce qu'on prend des oméga-3, parce qu'on veut tout réussir, parce que... c'est normal, non ?

Heureusement que, pour moi, le ménage n'est pas une priorité, parce que j'aurais fait une dépression nerveuse. Ouvrez ma garde-robe, vous n'en reviendrez pas. Les vêtements d'été côtoient les bottes d'hiver et les chandails de laine, et je n'ai aucun problème avec ça. La vaisselle traîne parfois sur le comptoir et c'est correct aussi.

S'occuper « seulement » de la base (l'épicerie, les repas, le lavage, l'éducation des enfants, les devoirs, l'hygiène personnelle de tout un chacun), c'est déjà énorme. Si c'était à refaire, je ne jouerais pas les rôles de mère de famille, de pourvoyeuse et de contractuelle en même temps. Je me lancerais dans cette aventure en négociant davantage, en n'envoyant pas comme message que c'est moi qui fais tout, avec le sourire, épongeant les débordements avec mon neuvième bras de pieuvre.

La pieuvre prend un torchon pour essuyer le jus de thon sur le comptoir. En passant, elle sacre un coup de poing sur la cuisinière. Miraculeusement, le bip cesse. La journée peut commencer.

Au nom du poil

C'est aujourd'hui que ça se passe. Je m'en vais me faire épiler. Pourquoi en faire tout un plat? me direz-vous. Après tout, ça fait trente ans que je me fais épiler, il n'y a donc rien de spectaculaire dans ma démarche. Alors, pourquoi cette fois-ci serait-elle plus spéciale qu'une autre? Eh bien, parce que... ça fait un an que je n'y suis pas allée! J'ai hésité avant de vous faire cette confidence, car je n'avais pas envie de vous donner mal au cœur. Oui, mal au cœur, n'ayons pas peur des mots... Selon les diktats de notre société, le corps des femmes devrait être dégarni de tout poil disgracieux. Si on ne respecte pas cette norme, on est jugée sévèrement.

D'abord, vous devez savoir que je n'ai presque plus de poils sur les jambes, à part sur les genoux : deux GROSSES touffes de poils. L'hiver, j'arrive à les camoufler sous des collants ou un pantalon, mais, l'été, à moins de porter un maillot *one-piece* jusqu'aux chevilles, c'est plutôt difficile à masquer. Voilà pourquoi j'ai pris rendez-vous avec Sandra, mon esthéticienne ; c'était une urgence! Lorsqu'elle m'a dit : « OK, je t'attends à quinze heures », j'ai répondu (pour la faire rire) : « Étire le rendez-vous jusqu'à vingt et une heures. » Ce que j'aime de Sandra (et ce qui devrait être la principale qualité de votre esthéticienne), c'est qu'elle ne me juge pas. Avec ou sans poils, j'ai la même valeur à ses yeux. Je suis allée à l'école secondaire avec elle et, quand je vais me faire épiler, entre deux bandelettes de cire arrachées, nous nous remémorons de vieux souvenirs.

Mais revenons-en à mon poil, après cette année de liberté folliculaire. Je me dois d'abord de préciser que mes aisselles n'ont pas eu droit au même genre d'année sabbatique, car je les ai rasées quelques fois durant cette période (lorsque c'était un cas de force majeure, comme avant la séance de photos pour la couverture du livre que vous tenez entre vos mains. Quoique... avec Photoshop, j'aurais peut-être pu me faire supprimer la touffe?), mais je vous jure que je vis très bien avec du poil sous les aisselles. Qui le sait à part moi? Je ne me promène pas les bras levés dans les airs! À moins d'être allée dans la Pitoune à La Ronde en camisole, je ne vois pas quand j'aurais eu l'occasion d'exposer mes « d'sous de bras » en public cet été!

Lorsque j'y pense avec du recul, je me dis que j'aurais dû filmer mes premières expériences avec certaines esthéticiennes que j'ai vues dans le passé. Les premières fois, j'avais presque envie de caler une bouteille de rhum pour ne pas sentir la douleur. À quelques reprises, j'ai failli rentrer chez moi avec des bandelettes encore sur les jambes, parce que je n'étais plus capable de souffrir le martyre ni de voir des gouttelettes de sang perler à chaque lisière de cire arrachée. J'exigeais que l'esthéticienne compte jusqu'à trois, comme avec un enfant de cinq ans à qui on retire un pansement adhésif. Un, deux, trois, hop! Une centaine de poils de moins... Au début, je ne connaissais pas encore le vocabulaire lié au poil et, quand Sylvie (mon avant-avant-dernière esthéticienne) m'a demandé si je voulais « l'intégrale », je pensais qu'elle voulait mettre un CD pour me détendre (l'intégrale de Zamfir ou d'Enya, par exemple).

– L'intégrale?

– Ben... plus aucun poil nulle part. Sur le mont de Vénus, la raie, etc.

– La raie?

– Oui. C'est pas toutes les esthéticiennes qui le font, mais moi, oui. C'est trois dollars de plus.

– C'est pas un peu gênant? Imagine si tu m'arraches une hémorroïde!

– Ben voyons, ça ne peut pas arriver...

– Non, mais SI ça arrive?

– Impossible, je te dis.

– Alors, non merci, pour la raie, je vais passer mon tour. Je vais plutôt prendre l'option «paysanne semi-*trimée*» et, si ça ne te dérange pas, j'aimerais rapporter mes bandelettes dans un *doggy bag*...

– En souvenir?

– Non, c'est de la récupération. Je vais les accrocher au chalet, en spirale, pour que les mouches collent dessus.

Pourquoi ai-je attendu un an avant de retourner me faire épiler? Parce que plus le temps avançait, plus je me rendais compte que j'aime mon poil et que, si je me fais épiler, c'est uniquement pour répondre aux critères d'esthétisme imposés par la société. Ce n'est même pas pour faire plaisir à mon *chum*, car, en tant que «gars de bois», il ne voit pas la différence! Si une femme doit être épilée régulièrement pour avoir le bikini frais fait en tout temps, je revendique la même chose pour les hommes! Plus de poils qui dépassent du nez, des oreilles (et de n'importe quel autre orifice, d'ailleurs): on veut des barbes, des *pinchs*, des moustaches et des favoris bien *trimés*. Fini le *shag* dans le dos ou les touffes assez longues pour faire une tresse française sous les bras. On veut aussi un «membre» qu'on n'aura pas à chercher sous un amas de poils.

En laissant la brousse faire son nid sur mon corps, j'ai pu observer à quel point la dictature de l'esthétisme n'est pas la même, qu'on soit un homme ou une femme. Voir le dégoût qui s'installe rapidement dès qu'un poil disgracieux fait son apparition sur le corps d'une femme, ça me fait dresser... le poil des jambes!

– Ouach, dégueulasse! Maman, tu peux pas aller dans le Sud comme ça!

– Pourquoi pas? Ça dérange qui?

– Ben... ceux qui te regarderont...

– Et ceux qui regarderont le gros bedonnant qui sortira de la mer avec les poils de son *chest* poivre et sel tellement défrisés qu'il aura l'air d'un lama détrempé par la pluie? Tu penses pas que c'est encore plus dégueulasse que moi, ça?

– Peut-être, mais c'est dégueulasse pareil.

– Ce qui est dégueulasse, ce sont les standards qu'on s'impose. Et là, on parle seulement des poils sur les jambes, mais que dire du duvet dans le bas de notre dos, de nos poils au menton ou de nos sourcils broussailleux... ça ne finit plus de pousser!

Ah, les fameux poils sur le menton... c'est une autre histoire! J'ai commencé à en arracher quelques-uns à la pince il y a vingt ans et, maintenant, je dois le faire tous les jours, sinon j'ai un *pinch*! Si je leur donnais une année sabbatique, à ces poils-là, ce ne serait pas long qu'on me couronnerait du titre de femme à barbe de l'année. On retrouve donc des pinces à sourcils dans toutes les pièces de ma maison et, surtout, dans ma voiture. Il n'y a rien de plus satisfaisant que de s'arracher les poils du menton en roulant sur l'autoroute. Personne ne me voit, je les repère facilement en tâtonnant avec ma pince, et je n'ai pas besoin d'un miroir grossissant. Je ne le fais jamais en présence de gens, car je serais trop gênée, mais, seule dans mon auto avec de la musique... wow! Si j'arrête à un feu rouge, je fais semblant de me gratter le menton pour éviter que quiconque me voie m'adonner à mon activité favorite. Mes amies me répètent que je devrais les faire enlever au laser ou à l'électrolyse, mais je ne veux pas, j'aime trop me faire la barbe en roulant !

Je suis probablement une des rares femmes au Québec à avoir vécu cette situation : une année entière sans me faire épiler. Donc, au nom du poil, j'ai été cobaye pour vous et je peux vous affirmer que non seulement on n'en meurt pas, mais on en vient à se dire : « Du poil ? Ça m'en fait une belle jambe ! »

Le poulet porte-queue

Peut-être avez-vous encore cette chance, mais moi, malheureusement, je n'ai plus d'enfants à qui je peux raconter une histoire, le soir, avant qu'ils aillent dormir. Ma fille Madeleine a dix-huit ans et elle n'est plus capable de me voir arriver avec mes livres dans son lit, la suppliant de me laisser lui lire quelques passages à voix haute.

– *Come on,* Mide, comme quand tu étais petite...

Parenthèse : Mide, c'est le surnom de Madeleine depuis qu'elle est bébé. Une nuit, pendant que je l'allaitais, sa grande sœur Adèle, qui avait neuf ans à l'époque, s'est réveillée en délirant car elle faisait de la fièvre. Elle pleurait et disait :

– J'ai mal à la tête, Midelane !! Midelaaaaaaane !

Un peu à la manière de Rocky qui crie ADRIAAAANE, à la fin du premier film. Le lendemain, Adèle ne se souvenait plus d'avoir rebaptisé sa sœur dans son délire, mais le surnom Midelane est resté, d'où le diminutif Mide. Fin de la parenthèse.

– Non, m'man, j'suis fatiguée.

– Pas longtemps, juste cinq minutes !

– Demain...

Lire à voix haute est pour moi un immense bonheur... mais ça tape sur les nerfs de mes filles. Les seules personnes qui ont aimé m'entendre le faire sont feu mon grand-père Ludovic et ma mère. Mon grand-père aimait que je lui lise son journal, car il avait commencé à perdre la vue. Il venait nous visiter une ou deux fois par année et c'est à moi qu'on avait attribué cette tâche. J'adorais ça ! Quant à ma mère, elle nous dispensait de tâches ménagères si nous acceptions de lui faire la lecture. Comme j'étais paresseuse de nature, devinez ce que je choisissais de faire ? Je ne comprenais rien de ce que je lisais, mais, au moins, je ne me « tapais » pas le ménage ou la préparation des repas.

Quand mes filles étaient petites, chaque mois, je rapportais de la bibliothèque des dizaines de livres pour enfants. Je leur lisais et relisais ces histoires magnifiques en les regardant lutter contre le sommeil. Même lorsqu'elles s'endormaient, je poursuivais ma lecture jusqu'à la fin, pour le plaisir de les entendre respirer plus lentement, pour le plaisir de savourer la vue d'un livre grand ouvert, grand comme leur vie qui commençait.

Je repense souvent à l'époque où je ne savais pas lire. Ma maman se couchait dans mon lit et elle me racontait soir après soir la même histoire. Non pas parce qu'elle n'avait pas d'imagination, mais bien parce que je réclamais toujours la même : l'histoire du petit poulet porte-queue qui sort de chez lui le soir alors qu'il n'a pas la permission de sa mère et qui perd son chemin. Il marche en pleurant et s'arrête à tous les coins de rue en disant : « Si j'avais ma mère, elle gratterait la terre, pour me trouver un petit ver de terre. Pit, pit, pit ! » Une fois l'histoire terminée et ma mère partie, je pleurais seule dans le noir en repensant à cette phrase. Pourtant, l'histoire finissait bien : les policiers retrouvaient le poulet porte-queue et le ramenaient chez lui. Il promettait de ne plus jamais s'éloigner de la maison sans permission.

J'ai presque cinquante ans et ça me chavire encore de repenser au poulet porte-queue. Pas parce qu'il n'a pas de mère pour gratter la terre, mais parce que je n'ai plus de mère pour me raconter une histoire avant d'aller me coucher. Elle est toujours en vie, mais elle ne me souhaite plus bonne nuit en me bordant.

Je m'ennuie d'être une enfant, parfois.

De ne plus entendre la musique de Nana Mouskouri, qui jouait pendant que ma mère faisait la vaisselle. Le son des assiettes qui s'entrechoquent, la voix de Nana... des sons divins à mes oreilles. Je m'ennuie de ne plus avoir de maman qui mange mes belles joues rouges quand je rentre après avoir joué dehors. De ne plus avoir de maman qui attache mes bottes ou qui m'enlève mon habit de ski-doo.

Heureusement, j'ai encore ma maman à mes côtés, même si elle ne fait plus tout ça pour moi. Elle m'écrit de beaux mots par courriel, elle m'appelle sa chérie, me fait de la soupe délicieuse et je la vois souvent. À l'occasion, on se couche dans son lit et on jase de tout et de rien. Faudrait bien que je lui demande un jour de me raconter encore l'histoire du petit poulet, en me jouant dans les cheveux...

En tant que mère de Madeleine, aussi longtemps qu'elle vivra sous mon toit, je vais continuer d'entrer dans sa chambre pour lui proposer mes services de lectrice itinérante. Même si elle me répond toujours que ça ne l'intéresse pas, je sais qu'un jour elle s'ennuiera de ces beaux moments à deux, exactement comme moi je m'ennuie du petit poulet porte-queue.

Je veux toute toute la vivre, ma vie

J'avais dix ans et c'était la première fois que ça m'arrivait. Je venais de découvrir la vie quotidienne des femmes à travers la chanson. À travers de courtes incursions dans leur quotidien, comme autant de coups de cœur merveilleux qui durent encore, trente ans plus tard. Si j'écris cette chronique aujourd'hui, c'est pour te rendre hommage, chère Angèle Arsenault.

Tu as permis à une petite fille de dix ans d'entrer en cachette dans la vie des femmes par l'entremise de tes mots et de ta musique. Grâce à une chanson comme *Moi j'mange*, je pouvais comprendre le rapport des femmes à la nourriture. Quand mes tantes, autour de la table de la cuisine, confiaient à ma mère qu'elles mangeaient leurs émotions, j'avais l'impression de savoir un peu ce que ça voulait dire. « Mais, si j'me rends à trois cent trente-six, le monde, y verra p't-être que j'existe ! » chantais-tu. Exister. Je prenais conscience que ça semblait parfois difficile, d'exister. Tu m'as permis de croire qu'il y avait une étoile pour moi, lorsque tu disais : « Y a une route qui mène au bonheur, rends-toi au moins au bout de la rue... » Ça me donnait des ailes, à moi qui rêvais de liberté et pour qui le bout de la rue n'était jamais assez loin. Une femme me chantait que j'avais le droit d'explorer et que j'étais protégée par une étoile. Chaque fois que j'ai regardé le ciel dans les passages houleux de ma vie, je vous jure que je l'ai vue, cette étoile, la mienne, et je la vois encore. Elle est toujours là. Sans cette chanson, je n'aurais peut-être jamais pensé lever mes yeux pleins de larmes vers le ciel dans les moments difficiles. Tu m'as convaincue, Angèle, qu'on avait le droit d'avoir « les bleus de temps en temps [...], les bleus royal, les bleus marine, les bleus d'amour, les bleus tout court », et que c'était normal. Tu m'as appris ce qu'était la dépendance affective en scandant : « T'as le reste de ta vie pour courir après lui. » Tu as permis à plusieurs femmes de se rassembler, de se retrouver, d'aimer et de prier.

Personne d'autre n'a été capable de chanter aussi bien que toi le quotidien des femmes, leurs défis, leurs forces et leur tendresse. Plusieurs ont certainement pensé qu'elles auraient pu écrire tes chansons tellement elles allaient de soi, tellement elles n'étaient pas « songées » ou compliquées. Loin de la poésie et de la folie de Diane Dufresne ou de Pauline Julien, tu décrivais la vie quotidienne dans ce qu'elle a de plus simple, de plus plate, de plus vrai. Tu as même été boudée par le milieu artistique. Était-ce parce que tu étais trop « populaire »? On s'est moqués de tes lunettes, de ton sourire tout en gencives et de ta coupe champignon... Si tu avais été une femme à l'esprit torturé ou une intello, peut-être aurais-tu eu l'estime des critiques. Mais je crois bien que tu t'en préoccupais peu, car ce qui t'importait, c'est que ta musique, tes paroles, coulent jusqu'aux oreilles de celles pour qui tu écrivais et composais. Que les femmes les reçoivent droit au cœur, droit à l'âme.

À l'époque, je ne savais pas encore que je ferais un peu le même métier que toi, en quelque sorte. Que les femmes, inspirées par nos mots, auraient envie de la vivre toute toute, leur vie. Même si elles sont dépendantes affectives, même si elles ont des problèmes de poids parce qu'elles mangent leurs émotions, même si elles ont les bleus, même si...

En sixième année, lorsque je t'écoutais chanter, je le faisais en cachette, parce que, sinon, j'aurais fait rire de moi. S'il avait fallu qu'elles me voient faire le ménage de ma chambre de préado en écoutant Angèle Arsenault, mes amies – qui me croyaient *in* – n'auraient pas pu comprendre et j'aurais été victime d'intimidation! Moi, c'est à cet âge-là que j'ai eu besoin de me faire dire que j'avais le droit de vouloir la vivre toute toute, ma vie.

Le 25 février dernier, lorsque j'ai appris que tu venais de quitter cette terre, j'ai fait jouer la chanson *Je veux toute la vivre ma vie* dans le tapis, j'ai mis le volume au maximum en faisant le ménage. Elle a été facile à trouver sur mon iPod: c'est une de mes favorites depuis longtemps.

Ce jour-là, j'ai même enregistré un message spécial sur mon répondeur pour te rendre hommage. Les gens qui appelaient entendaient ta voix chanter le refrain de cette chanson. Ta voix, qui venait de se taire à jamais.

Ton dernier album est sorti dernièrement. Son titre: *Vivre*. Tu l'as enregistré quelques mois avant de mourir. Tu savais que tes semaines étaient comptées. On m'a raconté que tu pleurais entre chaque chanson et que tes amis, ta famille et les gens que tu aimais étaient avec toi en studio, comme pour faire un gros party, ton dernier.

Quand il m'arrive d'avoir les bleus, je fais jouer en boucle *Je veux toute la vivre ma vie* et j'ouvre grand les portes de ce qui me retient prisonnière (ma peine, mes peurs, mes frustrations), car ma vie, je ne veux pas l'emprisonner. Je veux la vivre en toute liberté, cette belle grande vie comme je l'aime. «Toute toute», pas juste des p'tits bouts.

Ma belle Angèle, j'espère que tu es devenue un ange avec des ailes, comme ton prénom te destinait à l'être. Le dernier jour de ta vie, quand tu as su que tu allais partir d'un moment à l'autre, j'espère que tu as pu répondre à l'une des questions que tu posais dans ta chanson *J'ai vécu bien des années*.

J'ai vécu bien des années, qu'est-ce que j'ai vu?
Si je regarde mon passé, qu'est-ce que j'ai retenu?

J'aurais aimé entendre tes réponses...

Tu termines cette chanson en disant que tu as vécu toutes ces années pour chanter la musique, celle qui a marqué ta vie. Eh bien, la tienne, ta musique, a marqué la mienne. Elle m'a aidée à vivre et tu nous as légué un immense cadeau à travers tes chansons : ta joie de vivre contagieuse, qui continuera de s'exprimer, au-delà de la mort.

Mille mercis (entiers, pas juste des p'tits bouts).

Nous six

J'ai essayé au moins cent fois d'écrire ce texte. Je me rends compte qu'il y a des sentiments qui ne se décrivent pas avec des mots. On les porte en soi et, pour arriver à les coucher sur le papier, il faut ouvrir la porte trop grand pour les faire sortir, et alors on a peur qu'ils ne reviennent plus.

J'ai essayé cent fois d'écrire un texte pour dépeindre ma famille. Mes parents et mes sœurs. Pour vous dire comment c'est, de commencer sa vie auprès d'êtres humains aussi formidables, aussi agréables. Je pourrais vous raconter que mes parents se sont connus à Montréal, dans leur jeune vingtaine, que ma mère vient de l'Abitibi et mon père, du Lac-Saint-Jean, qu'avant de connaître Louis-Marie, Lucie a été sœur Lucie du Précieux Sang (de dix-sept à dix-neuf ans). J'ai dit à Madeleine, dernièrement :

– Tu imagines? Ta grand-mère était une nonne semi-cloîtrée à ton âge!

Je pourrais vous raconter que rien n'était tracé d'avance, pour ces deux-là... Lucie a pensé pendant des mois que Louis avait une promise au Lac-Saint-Jean, car elle s'était fait dire que tous les gars du Lac qui venaient étudier à Montréal avaient quelqu'un qui les attendait dans leur coin de pays. Alors, même si elle trouvait que Louis était le plus bel homme de la ville, elle ne voulait pas lui ouvrir son cœur, croyant que celui de Louis ne pourrait jamais lui être offert en retour. Je pourrais vous dire comment ils se sont finalement déclaré leur amour, vous raconter l'histoire de leur première maison, de leur première fille, Jeanne, puis celle de Brigitte et la mienne, et enfin comment, sept ans plus tard, est venu un bébé-surprise, Estelle, le jour de ma fête. Je pourrais vous dire que, contrairement aux autres femmes de son époque, Lucie ne rêvait pas d'avoir des enfants. En fait, elle n'en voulait aucun. Elle en a eu quatre.

Je pourrais vous parler de toutes les balles de laine que mes parents ont utilisées pour tricoter serré leur foyer. Je pourrais écrire un livre de mille pages ou réaliser un film de trois heures sur ma famille, car elle ne ressemble à aucune autre...

Ce que j'aimerais être capable d'écrire, c'est à quel point je me sens choyée d'être née dans cette famille. Je n'en ai jamais rencontré une qui soit comme la mienne. Jamais. J'ai l'impression d'avoir gagné à la loterie. Je n'ai rien fait de plus que les autres, à part tirer le billet gagnant, celui de la famille aimante, intelligente, tripante, généreuse, ricaneuse, cultivée, intéressée et sur laquelle on peut compter. Certains diront que je n'ai pas coupé le cordon, d'autres tenteront de me faire croire que ce n'est pas normal d'appeler ses parents tous les jours et de les voir plusieurs fois par semaine, d'aller en voyage avec eux, d'organiser des repas improvisés, juste pour le plaisir d'être ensemble. Mais je m'en fous, parce que cette relation ne m'apporte que de la joie, alors pourquoi me priver?! Je vais vous révéler ce qui est à la base de notre sérénité familiale: chaque membre de ma famille a fait une démarche personnelle pour régler ses «bibittes». Nos parents ont fait des erreurs, comme tous les parents, mais mes sœurs et moi avons su nous propulser en nous servant de ces blessures d'enfance (on en a tous) pour avancer, cheminer et grandir. Il en va de même pour mes filles. Je sais que j'ai fait des erreurs avec elles, mais, au lieu de ressasser le passé, elles s'en sont servies pour évoluer et c'est, je crois, l'élément le plus important d'une famille unie, tricotée serré. Bien sûr, il y a eu des mailles à l'envers, d'autres à l'endroit, des bouts de laine entremêlés qu'il a fallu défaire et refaire ou même détricoter pour ensuite les resserrer.

Mais, au bout du compte, on a obtenu un magnifique tricot unique, une courtepointe magistrale qui me réchauffe en tout temps.

Pour nous, c'est important, au moins une fois par année, de se retrouver comme dans le bon vieux temps, ce temps où nous n'avions pas d'enfants ni de conjoints, et où nous vivions tous sous le même toit.

Ma famille sera toujours composée de six membres, mais je sais qu'ils ne seront pas toujours là... À ce moment-là, nos rencontres seront différentes. On rendra vivante la mémoire de la personne qui ne sera plus, on en parlera beaucoup, on regardera des photos, on se dira « te rappelles-tu quand »...

Et on se souviendra qu'il aura fallu vivre à fond le moment présent, celui qui est devenu un souvenir précieux. C'est ce que je fais chaque fois que je passe du temps avec vous, Louis, Lucie, Jeanne, Brigitte et Estelle. Merci d'être les numéros gagnants de ma loterie familiale. Je suis la femme la plus chanceuse de la terre.

Ma formidable famille. Louis-Marie, Lucie et leurs quatre filles, de gauche à droite : Jeanne, Brigitte, Marcia et Estelle.

J'ai un don

Je suis certaine que vous êtes aussi curieuses que moi, mais que vous vous retenez de poser des questions et de satisfaire votre curiosité. Moi, quand je sens qu'une personne pourra m'en apprendre sur la vie, je ne peux freiner mon élan et je me lance. C'est ma PASSION.

Pas plus tard qu'hier, j'étais à la caisse chez Costco et la caissière me semblait nouvelle. Elle devait avoir entre trente et trente-deux ans et elle avait un sourcil complètement blanc. Je VOULAIS savoir pourquoi. Avouez que vous aussi, ç'aurait piqué votre curiosité, mais JAMAIS vous ne le lui auriez demandé! Ce qui m'intéresse, dans ce sourcil, c'est l'histoire de vie qu'il dissimule. Est-ce que cette femme est née comme ça? Sinon, comment est-ce arrivé? Ce n'est pas de la curiosité superficielle; je m'intéresse sincèrement et passionnément aux histoires de vie des autres, même si je viens de les rencontrer.

Pour moi, une journée n'est pas satisfaisante si je n'ai pas appris quelque chose à propos de quelqu'un, que ce soit un étranger ou non. Et des occasions de le faire, il y en a des dizaines par jour. Le problème, c'est que tout le monde se retient en se disant: «Ça ne nous regarde pas!» «Faut savoir se mêler de ses affaires...» ou «Ça va la/le mettre mal à l'aise!»

L'idée n'est pas de commencer à poser des questions à tout le monde, même si vous n'en avez pas vraiment envie, mais de cesser de vous retenir. Vous constaterez que cette pratique est fabuleuse et enrichissante, et qu'elle donne un sens à la vie. Sachez aussi que les autres aiment qu'on s'intéresse sincèrement à eux. Chaque personne a une histoire de vie unique, soit un bagage, un passé, une façon de voir la vie qui lui sont propres. Toutes ces histoires sont fascinantes et touchantes, à leur façon...

Je peux dire que j'ai un don. Je sais poser les bonnes questions aux bonnes personnes au bon moment. Je sais ce que quelqu'un a envie de se faire poser comme question, peu importe le contexte, peu importe si je connais cette personne depuis longtemps ou non. Ce n'est pas une déformation professionnelle venant de mon métier d'intervieweuse, car, enfant, je savais déjà poser les bonnes questions.

Je vous jure que jamais je n'ai questionné quelqu'un pour rire de lui ou pour le mettre dans l'embarras. Cela a eu pour conséquence que JAMAIS je ne me suis fait envoyer promener de la sorte :

– Eille, vas-tu arrêter avec tes questions ?

– T'es donc bien indiscrète !

– Te prends-tu pour une détective, coudonc ?

Au contraire. Grâce à mon don, je sais exactement jusqu'où je peux aller sans rendre l'autre mal à l'aise. Cela donne lieu à des échanges édifiants et mémorables. Je ne reverrai peut-être jamais la personne que je viens de questionner, mais chacune de nous retire un bénéfice, un apprentissage de notre discussion.

Même chose quand vous avez envie de complimenter quelqu'un, même si c'est un parfait inconnu. C'est souvent par les compliments ou une remarque positive qu'on a accès aux plus beaux récits de vie... Un jour, lorsque j'avais quinze ans, j'ai fait un compliment à ma sœur aînée. Elle m'a regardée droit dans les yeux et m'a dit : « Tu dis ça à tout le monde pis tu trouves "toute" beau !!! »

Claque dans la face. Gelée sur place. Mon énergie candide, ma belle spontanéité venaient d'en prendre un coup. Moi qui semais des compliments chaque fois que j'en avais envie, voilà que TOUT LE MONDE que j'avais complimenté pensait peut-être comme ma sœur?!? Pendant plus de dix ans après ce jour-là, j'ai été incapable de faire un compliment. Je me retenais chaque fois que j'avais spontanément envie de dire à quelqu'un que je le trouvais drôle, que j'aimais son style, ou pour souligner une belle initiative de sa part.

Puis, à un moment donné, je me suis dit: «Ça va faire! Ce que les autres ressentent quand je les complimente, quand je m'intéresse sincèrement à eux, eh bien, c'est leur problème. Ce qu'ils pensent de mon intention ne m'appartient pas. S'ils se disent que je veux les manipuler, les mettre de mon bord, c'est leur problème.»

Dans la préface de son livre sur l'intelligence émotionnelle[7], la psychologue Danie Beaulieu raconte qu'un de ses professeurs à l'université faisait passer un examen de cinq questions à ses étudiants en psychologie, et la cinquième question, qui comptait pour trente pour cent de la note totale, était: «Quel est le nom de la secrétaire de votre département?» En trois ans, si les élèves n'avaient pas remarqué cette personne, ils perdaient beaucoup de points!

J'ai souri quand j'ai lu ce passage et je me suis félicitée de faire entrer dans ma vie tous les chauffeurs de bus, les caissières d'épicerie, les personnes âgées, bref, tous les êtres humains sans exception, par l'entremise de questions.

Une idée d'émission me trotte dans la tête depuis quelques années et je suis certaine qu'elle va voir le jour. (Je vais la produire moi-même s'il le faut!) J'ai acheté un gros Winnebago datant des années soixante-dix (que j'ai payé trois mille dollars... une aubaine!)

---

7. Danie BEAULIEU, *Techniques d'impact pour grandir: des illustrations pour développer l'intelligence émotionnelle chez les adultes*, Québecor, 2010.

et j'ai l'intention de le convertir en studio de télé intime, avec deux caméras, un divan et une petite table. Je sillonnerais les routes à bord de mon studio roulant et je le stationnerais dans une ville au hasard de mon chemin, pour y faire monter des gens que je choisirais ici et là, dans un restaurant, un centre commercial, ou même en allant cogner directement à leur porte. Ces gens viendraient jaser avec moi et je crois qu'on aurait là de magnifiques récits de vie d'êtres humains comme vous et moi, qui ont tous quelque chose de précieux à partager, mais qui ne le savent pas parce qu'ils ne m'ont pas encore accordé le privilège de monter dans ma roulotte!

La femme au sourcil blanc, par exemple, je l'aurais invitée à venir me parler plus longuement de son histoire, car notre échange a été très bref, debout devant sa caisse. Ce n'était pas l'endroit idéal, mais on a quand même pu avoir un beau «cœur-à-cœur»...

Savez-vous ce qu'elle m'a répondu, lorsque je lui ai demandé d'où lui venait cette particularité? Il y a trois ans, elle a fait une fausse couche et, dans les jours qui ont suivi, son sourcil gauche s'est mis à blanchir. Je lui ai demandé si elle avait pensé le camoufler avec un crayon et elle m'a répondu avec le plus beau des sourires qu'elle voulait le garder tel quel, parce que ça faisait partie de son histoire et qu'elle ne se verrait pas autrement. La fille qui emballait à ses côtés a semblé très émue par le récit de sa collègue. Je suis certaine qu'elle se posait la même question depuis le jour où elle l'a rencontrée, mais qu'elle n'avait jamais osé la lui poser...

Quand mon «Winnebago studio» sera prêt, cette femme sera l'une des premières à recevoir mon invitation. Et, si vous me voyez arriver dans votre ville, ne soyez pas surprise si je vous invite à bord, le temps de prendre un thé ensemble, en tête à tête. C'est avec joie que je mettrai mon don au service de votre histoire de vie...

Début de show

Dans les spectacles, au secondaire, certains chantaient, d'autres dansaient ; moi, je présentais des monologues.

Je me souviens encore du tonnerre d'applaudissements que j'ai eu après avoir livré le formidable monologue de Jacqueline Barrette qui a pour titre *La porteuse de secrets*. Les monologues de Clémence DesRochers aussi m'ont permis de vivre des moments magiques sur scène…

Cette passion a toujours fait partie de ma vie. Quand j'étais enfant, je m'enregistrais sur cassettes pendant que je faisais semblant d'animer une émission de radio ou que je lisais les monologues d'Yvon Deschamps dans des livres empruntés à la bibliothèque. L'an dernier, j'ai retrouvé ces souvenirs précieux où je m'entends lire *Les unions, qu'ossa donne ?* et ça m'a beaucoup émue. C'est impressionnant d'entendre une petite fille de neuf ans, qui ne comprenait rien de ce qu'elle lisait pour la première fois, livrer une telle performance. Au lieu de jouer à la Barbie, je m'enfermais pour réciter des monologues devant une enregistreuse… Malheureusement, ce type d'humour est en voie de disparition…

Depuis un an, lorsque j'ai de l'inspiration, je m'installe à mon clavier et j'écris le spectacle que je rêve de faire. Un *best-of* de mes meilleurs monologues, tirés de mes réflexions sur la vie. Ce spectacle verra peut-être le jour dans dix, cinq ou un an, mais je sais que ça se produira! C'est lancé dans l'Univers.

J'ai déjà lu dans un livre qu'on ne doit pas attendre que toutes les conditions soient réunies pour commencer à croire à nos rêves, mais qu'on doit plutôt poser une action concrète pour s'en rapprocher chaque semaine; au bout d'un certain temps, ils se concrétiseront. Quant à mon rêve de vous présenter un jour mon spectacle sur scène, mon action concrète est d'en écrire de petits bouts, ici et là. J'ai composé le début de mon *show* il y a quelques jours seulement et j'ai envie de le partager avec vous. Notez qu'en fin de compte, il se peut que mon spectacle ne commence pas du tout de cette façon, mais, pour l'instant, voilà comment je vois ça...

J'arrive sur scène sur une musique de gala, vêtue d'une robe du soir ultrachic, de talons hauts, et coiffée de manière extravagante. Applaudissements.

Le volume de la musique baisse un peu et j'interviens:

Non, vraiment, j'suis pas à l'aise pantoute... (*M'adressant à la technicienne:*) Ghislaine, pourrais-tu arrêter la musique? (*M'adressant au public:*) Vous savez ben que c'est pas une vraie Ghislaine qui s'occupe de la musique et de l'éclairage, mais j'ai donné des noms de matantes aux techniciens, parce qu'on va se dire les vraies affaires: c'est un *show* de matante, je SUIS une matante et je m'assume complètement! Une matante, c'est fantastique, ç'a TOUS les privilèges. On fait rire de nous par les plus jeunes, mais c'est de la jalousie, parce qu'une matante, ça se trouve selon moi au niveau le plus élevé dans la société... Non mais, pensez-y deux minutes...

Une matante, ça peut:

- passer des commentaires de matante;
- pincer les joues des enfants (même s'ils sont rendus à vingt-cinq ans);

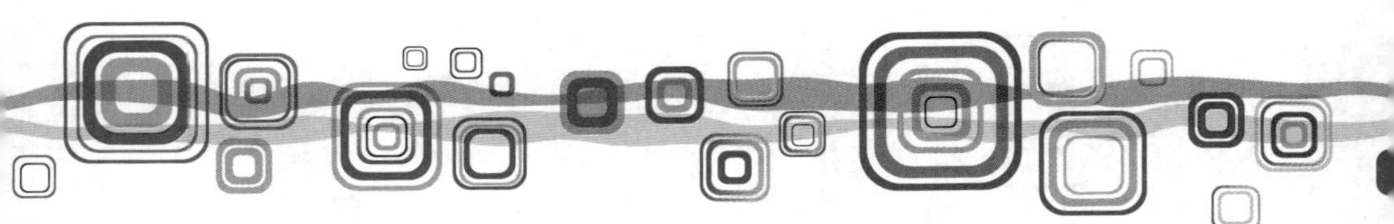

- écouter du Isabelle Boulay et chanter à tue-tête sans même connaître les paroles;
- cuisiner des plats réconfortants et donner la recette à TOUT le monde sans exception (même ceux qui ne l'ont pas demandée);
- avoir tous les passe-temps imaginables « en chantier » (tricot, *scrapbooking*, peinture, vitraux, couture, etc.);
- réussir à avoir l'air tellement nulle en technologie qu'un petit neveu vient programmer l'enregistrement de toutes ses émissions;
- être quétaine... OK, pas « ça peut être »... *c'est* quétaine.

Je fais tout ça avec grand plaisir, alors c'est confirmé : je suis une matante! (*J'enlève mes souliers.*) Et une matante, ça porte pas des souliers à trois cents dollars, ça se fait une toque « lousse » quand ça sort (*je défais mes cheveux*), pis ça possède une collection impressionnante de pantoufles en Phentex ou de bas de laine... parce qu'une matante, ça aime avoir chaud aux pieds! (*Je mets mes gros bas de laine.*) Bon; là, on est en *business*!

Si je m'étais écoutée, je serais arrivée sur scène directement en bas de laine, pas de robe ni de flafla. Je serais même entrée par la salle et non par les coulisses, pour m'asseoir un peu avec vous. Savez-vous ce qui m'en a empêchée? Mes « ça s'fait pas! » et mes « t'es toujours ben pas pour faire ça! ».

Et je ne suis pas la seule à entendre ces phrases qui me freinent. (*On entend alors une voix off, la petite voix que j'entends constamment dans ma tête.*)

– *Ben voyons donc, Marcia, tu fais un spectacle au St-Denis! T'es toujours ben pas pour arriver en bas de laine, avec ton thé dans ta tasse de l'Expo 67 qui est ébréchée!*

– Pourquoi pas?

– *T'es toujours ben pas pour t'habiller en mou comme quand tu écris dans ton salon!*

– Pourquoi pas?

– *T'es pas dans une salle communautaire, icitte...*

– J'aime ça, moi, les salles communautaires! Surtout en région.

– *OK, mais t'es rendue* BIG, *là, ma fille.*

– Quoi, tu trouves que j'ai engraissé?

– *Non, t'es rendue* big! *C'est fini, ce temps-là, où tu faisais la tournée du Québec avec ton petit* camper *pour aller partager tes réflexions de matante dans les salles communautaires, chaussée de tes bas de laine.*

– Oui, mais c'est ce que j'aime faire le plus au monde! C'était *big*, à mes yeux, d'aller en Abitibi, en Mauricie ou à Disraeli pour passer des journées «La vie comme je l'aime» avec des dizaines de femmes. Une petite question: est-ce que je peux savoir qui parle? (*Long silence.*) Tu réponds pus?

– *C'est ton* ego.

– Justement, mon *ego*, pourquoi tu veux jamais que je fasse les choses à ma manière? Pourquoi faut-il toujours que je fasse le contraire de ce que MOI, j'voudrais vraiment et qui me ressemble?

– *Parce que ça s'fait pas.*

– Oui, mais qui a décidé ça?

– *Moi.*

– T'es qui, toi, pour être certain que c'est ce qu'il faut faire? Me semble que j'suis la mieux placée pour savoir ce qui m'allume, ce que je souhaite pour moi. Je me connais mieux que personne!

– *Tu PENSES que tu te connais...*

– Pourquoi tu veux toujours me faire douter de moi?!

– *J'suis vraiment pas censé t'en parler, faut que ça reste entre nous parce que je vais avoir le syndicat des ego sur le dos... On accumule des points quand on fait bien notre job...*

– Pis c'est quoi, bien faire votre job?

– *Plus on vous empêche, vous, les humains, d'être qui vous êtes en vous faisant peur, plus on gagne des points.*

– Et si vous ne réussissez pas?

– *On est remplacés par un autre ego, celui qui a remporté le prix de l'ego le plus performant de l'année. C'est le meilleur pour la job.*

– La job?...

– *Vous faire peur. On travaille surtout de jour, mais ça nous arrive d'être appelés la nuit pour faire de l'overtime. Ça, c'est pour vous rachever. On vous empêche de dormir et, le lendemain, vous êtes plus fatigués, alors c'est plus facile de vous faire peur.*

– Qu'est-ce que tu veux dire exactement par «nous faire peur»?

– *Vous faire douter, reculer, flancher...*

– Comment?

– *Dans notre guide* Comment devenir l'ego de l'année, en dix étapes faciles, *il y a un top trois des phrases qu'un bon ego réussit à imprégner dans la tête de son humain:*

1) Voyons, ça s'fait pas!

2) T'as pas honte?

3) Non mais, pour qui tu te prends?

On a même une formation pour savoir à quel moment les imposer dans votre esprit pour vous affaiblir… C'est très précis!

– Quand dis-tu ces phrases-là?

– *Toujours après que la personne a pris une décision, a l'intention de faire un changement ou a écouté son intuition. Maudite intuition; celle-là, on la déteste, parce que, quand vous commencez à l'écouter, vous vous rapprochez de l'humain que vous êtes vraiment, vous trouvez votre mission de vie et, surtout, décidez d'ÊTRE ce que vous avez toujours voulu être. Dans ces cas-là, c'est pas compliqué, nous autres, on perd nos jobs et on en meurt!*

– J'en reviens pas! Mais, quand vous voyez que vos petites phrases méchantes ne fonctionnent pas sur nous, pourquoi vous ne nous sacrez pas la paix?

– *Non seulement on ne vous laisse pas tranquilles, mais on nous envoie le* king *des ego en renfort pour vous rachever.*

– Est-ce que ça arrive que même lui ne réussisse pas à rachever quelqu'un?

– *Oui, et c'est de plus en plus fréquent. Si même après avoir subi le traitement-choc du* king *des ego la personne n'a pas honte, qu'elle continue à avancer dans sa voie, ben là c'est 1-0 pour l'humain et on vient de perdre la bataille. Moi, en tout cas, quand j'en vois une comme toi qui ne se laisse pas freiner, qui fait son spectacle en bas de laine, qui vit en écoutant ses intuitions et qui réussit (même si c'est pas toujours facile)… ben… (j'vais me faire tuer pour t'avoir avoué ça!) j'viens les larmes aux yeux et j'm'en veux un peu d'avoir été aussi dur avec toi au lieu de t'aider.*

– Pleure pas, *ego*, pleure pas. Tu m'as aidée, au contraire, parce que plus tu essayais de me freiner, plus ça me rapprochait de moi. Puis, un jour, à force de travailler sur soi, ben on n'a plus besoin de toi! Présentement, c'est peut-être la dernière fois qu'on se parle…

– Quand j'ai su qu'on m'avait jumelé à toi, j'ai étudié ton dossier avant d'élaborer mes plans d'intervention, et je savais que je ne réussirais pas à t'affaiblir.

– T'as réussi une couple de fois, mais ça ne durait pas longtemps. Ta stratégie, là, c'était de passer par les autres, n'est-ce pas?

– Ouais...

– Tu m'as envoyé des gens jaloux, des gens qui ont voulu me tasser, me faire douter...

– Oui.

– Je n'avais jamais douté de moi, avant. Alors, tu m'as envoyé des «pas fins» accompagnés de leur *ego* pour qu'ils me mettent des bâtons dans les roues.

– Oui, j'ai fait ça, mais, avec tout ton travail intérieur, tu as réussi à déjouer tes ennemis. Tu as même réussi à enseigner ton savoir aux autres. Tes livres, ma fille, j'peux te dire qu'on a trouvé ça dur, les autres ego et moi...

– Comment ça?

– Quand le premier est sorti, en 2009, on s'est dit: «Ah non, elle va entraîner des milliers de femmes dans sa gang et on va perdre nos jobs!» On a même été convoqués à une réunion d'urgence pour essayer de t'empêcher d'écrire, tu t'en souviens?

– Oui, trop bien...

– Mais, même malade et alitée, tu continuais à faire tes pages du matin et à suivre ta routine spirituelle tous les jours. Quand tu as commencé à donner des conférences et à organiser des journées «La vie comme je l'aime» à travers le Québec, on a bien compris qu'on ne pourrait plus arrêter le mouvement que tu avais mis en branle... Tu donnes l'exemple d'une femme qui s'assume complètement et qui accepte à cent pour cent celle qu'elle est; les autres aiment ça et

t'emboîtent le pas. On a eu l'ordre de te laisser tranquille... mais je suis incapable de penser que je ne te verrai plus jamais, incapable de prendre le dossier d'un autre être humain. Alors je fais semblant qu'il me reste encore du travail avec toi, et je reviens te visiter de temps en temps, mais je vois bien que mes tentatives pour te faire échouer ne fonctionnent plus.

– On peut rester amis... Je t'autorise à faire semblant d'intervenir, mais ce sera juste pour qu'on passe un peu de temps ensemble. On ne le dira à personne, promis.

À ce moment-là, Ghislaine (la technicienne de son) mettrait une musique enfantine, du genre boîte à musique, et je danserais sur scène avec mon *ego*, représenté par un éclairage mauve. Je valserais doucement, chaussée de mes bas de laine, parce que la vie est belle quand on est enfin soi-même et qu'on peut l'exprimer devant des centaines de personnes. Oui, voilà comment j'imagine mon début de *show*...

Drôles de noms

J'ai une cousine qui se nomme Anne Harvey. Prononcez son nom à voix haute et vous obtenez: ANARVÉ. Petite, je me demandais pourquoi ses parents l'avaient appelée Énervée! Quand j'ai appris à lire, j'ai compris... Ma cousine n'étant vraiment pas du genre réservé, la coïncidence était encore plus bizarre à mes yeux.

C'est peut-être ce premier rapport avec la sonorité d'un nom qui a teinté ma perception de tous les autres, par la suite. Je me demandais pourquoi personne ne soulignait certaines erreurs flagrantes (voire volontaires?) de sonorité. Puis les années ont passé et j'ai développé une sorte de manie. Chaque fois que je fais la connaissance de quelqu'un, je répète son nom dans ma tête pour voir s'il sonne bien. Une fois sur deux, j'ai la réflexion suivante: « D'après moi, ses parents ne se sont pas donné la peine de répéter à voix haute le nom qu'ils allaient lui donner... Ou, alors, quand ils ont pris conscience de leur erreur, il était trop tard et ils n'ont pas voulu payer quelques centaines de dollars pour faire le changement de nom. »

Même chose en ce qui concerne les prénoms populaires... Pourquoi un parent ne s'informe-t-il pas, avant la naissance de son enfant, pour savoir s'il y aura douze William ou quatorze Léa dans sa classe de maternelle? Aujourd'hui, avec Internet et le site de la Régie des rentes du Québec, il est facile d'obtenir la liste des prénoms les plus attribués chaque année. Quand j'ai accouché de ma belle Adèle, il y a vingt-sept ans, ces outils n'existaient pas, mais j'avais quand même une petite idée des prénoms en vogue. Comme j'avais moi-même un prénom unique, c'était important à mes yeux que celui de ma fille le soit aussi. À la naissance, Adèle se prénommait Laurence. Toutes les cartes reçues en témoignent, avec leurs: «Bienvenue, bébé Laurence!» Une semaine avant le baptême, j'ai décidé de changer son nom, car, en six mois, j'avais rencontré une dizaine de bébés Laurence. J'avais le prénom Adèle en tête depuis longtemps, mais, à cette époque, ce n'était pas le plus populaire. Tout le monde avait une vieille tante Adèle ou se souvenait de la grosse bonne, dans l'émission du même nom... C'est un peu comme si, aujourd'hui, une maman de trente ans voulait appeler son bébé Ghislaine, Solange ou Monique... Pourtant, envers et contre tous, j'ai tenu mon bout. Le père de ma fille aimait bien ce nom, mais mes parents ne pouvaient pas se faire à l'idée. Mon père l'a appelée Angèle pendant deux mois et ma mère répondait: «Elle n'a pas encore de nom» à ceux qui demandaient comment se prénommait Adèle, lorsqu'on sortait en public.

Aujourd'hui, je peux comprendre leur réaction car, dernièrement, j'ai vécu une situation semblable... Adèle et son *chum* Félix m'ont annoncé (le plus sérieusement du monde) que, s'ils ont un garçon un jour, il s'appellera... Nestor!

Mon principal conseil aux parents qui cherchent encore le prénom de leur futur enfant est le suivant: attention que le prénom ne se termine pas par la première syllabe du nom de famille.

SylVAIN VINcent (VINVIN)

StéPHANE PHANeuf (FAFA)

DeNIS NIquette (NINI)

LuCIE SIgouin (SISSI)

HenRI RIchard (RIRI)

ElSA SAvoie (SASSA)

ClauDE DEmers (DEDE)

BruNO NAUbert (NONO)

BianKA CAron (CACA)

Le dernier est de loin le pire... il me semble que ses parents auraient dû allumer !!!

Je n'ai pas cette manie seulement en ce qui concerne les prénoms... En voiture, ça me prend toujours plus de temps que la plupart des gens pour me rendre à destination, car, pendant que je conduis, je ne peux pas m'empêcher d'essayer de décoder une tradition qui semble perdurer au Québec et qui me fascine : la tradition de coller deux syllabes venant chacune d'un prénom différent pour nommer un commerce. Par exemple, si je me promène à Amos et que je vois « **Cantine chez Gi-Lu** » sur un panneau, je me demande quelle est l'histoire derrière ce nom et j'émets toutes les hypothèses possibles...

SPÉCULATIONS :

C'est peut-être Gilles et Lucie qui ont décidé d'ouvrir une cantine en 1980...

Ou Ginette et Lucien ? Il peut s'agir aussi de deux sœurs, Ghislaine et Lucille... Ou de deux cousins, Gilbert et Luc, qui ont décidé de s'associer... Ou de jumeaux, Gino et Ludovic, qui, après la mort de leurs parents, ont reçu un héritage et ont décidé d'investir l'argent dans une cabane à patates.

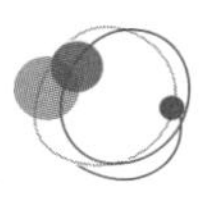

Un autre exemple ?

« **Guylou, machinerie lourde** ».

Spéculations :

Guy et Louise, Guylaine et Louis, ou encore Guylain et Louisette? Guy a connu Louise au secondaire. Il a toujours voulu être propriétaire de son entreprise et, quand il a fait part de son rêve à Louise, elle l'a appuyé à cent pour cent. Pour porter chance à la compagnie, ils ont décidé de la nommer en combinant leurs deux noms. Jusque-là tout va bien, mais ce qui me chicote, c'est de savoir comment les clients réagissent lorsqu'ils appellent et que la réceptionniste répond : « Guylou, machinerie lourde, bonjour ! »

Pour une compagnie de toilettage d'animaux ou de clowns livreurs de ballons, ça peut aller, mais, quand il est question de machinerie lourde, c'est moins vendeur !

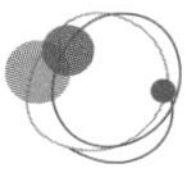

Là où ça se complique, c'est quand on colle trois syllabes...

Exemple : « **Garage RAMIPAT** ».

Spéculations :

Est-ce que Rachel, Micheline et Patrick, qui vivent en ménage à trois, ont décidé d'ouvrir un garage? Ou peut-être Raoul, Michel et Patricia, des cousins qui, enfants, s'étaient promis de travailler ensemble? Ou il s'agit tout simplement d'un couple qui a choisi de nommer son commerce en hommage à ses trois filles, Raymonde, Mimi et Patsy.

Parfois, j'imagine moi-même des noms de commerces. L'autre jour, en roulant vers Joliette, je me disais que, si un Tony et une Fernande ouvraient un salon de coiffure, ils pourraient utiliser les premières syllabes de leurs prénoms et ajouter la lettre U entre les

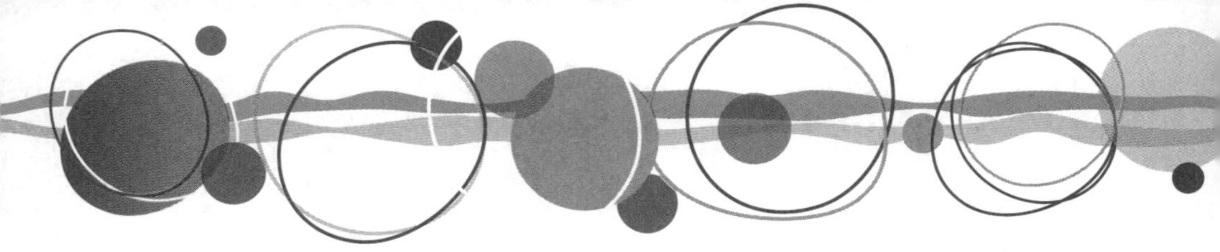

deux, ce qui donnerait : « Salon de coiffure Touffe, bonjour ! » Avouez que c'est vendeur !

Ma dernière trouvaille ? C'était à Rouyn, lors de ma plus récente visite au Salon du livre de l'Abitibi. En voiture, j'ai vu l'affiche du Dépanneur MI-CLO. J'ai tout de suite pensé : « Ce dépanneur est à moitié fermé ?!? » Je n'ai pas pu m'empêcher d'arrêter et d'entrer. Les propriétaires n'étaient pas sur place, mais une employée m'a raconté qu'ils s'appellent Michel et Claudette et qu'ils ont ouvert ensemble ce commerce il y a trente ans déjà.

Dommage que je ne puisse pas arrêter chaque fois pour connaître l'histoire derrière un nom de commerce amusant… Un trajet de trois heures m'en prendrait six ! Mais, quand je le peux, j'aime le faire.

Je souffre peut-être d'une maladie mentale non répertoriée à ce jour, mais, chose certaine, quand je voyage en voiture, je ne m'ennuie jamais… et mes passagers non plus !

Silence, on vit !

J'suis plus capable, faut que je me défoule ! Je suis écœurée des bruits, ces temps-ci. L'été, on dirait que c'est impossible d'avoir une heure de silence. Je pense que c'est pour cette raison que la saison estivale est loin d'être ma favorite. J'ai constamment envie de faire croire à tout le monde qu'on est en train de tourner un film pour pouvoir crier : « Silence, on tourne ! » et ainsi ne plus entendre un seul bruit.

Il faut avoir été sur un plateau de cinéma pour savoir qu'il n'y a rien de plus efficace qu'une claquette pour obtenir le silence total. Dès que le régisseur crie : « Silence, on tourne ! » il n'y a que les bruits prévus dans le scénario qui sont acceptés. C'est tellement sérieux que, si un technicien tousse après le bruit de la claquette, il peut se faire congédier illico. J'aimerais tant qu'il en aille de même dans la vraie vie ! Je composerais moi-même la trame sonore qui accompagnerait mes journées et, chaque fois que je crierais : « Silence, on vit ! » mes voisins respecteraient la consigne. Il me semble que ce devrait être possible de vivre en étant conscient de notre empreinte sonore !

Ma devise concernant les bruits est la suivante : *Ce qui fait extrêmement plaisir à l'un est souvent un irritant majeur pour l'autre.*

- Tu es en train de te « bizouner » un patio à cinq paliers digne des plus belles revues d'aménagement extérieur et tu sautes sur ta scie le samedi matin, sourire aux lèvres ? Sache que

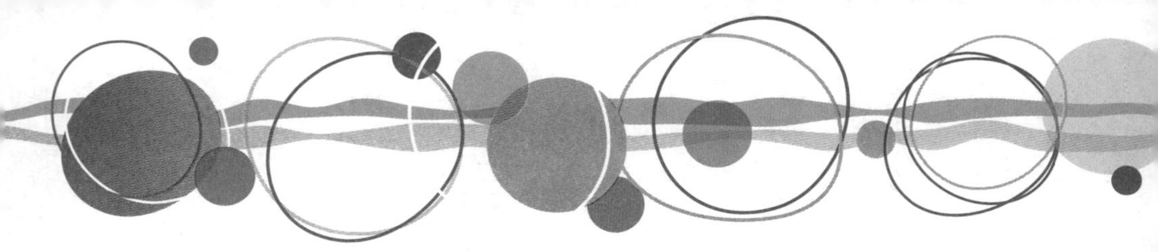

ta voisine, qui est justement en vacances, partage ton bruit, mais ne partage pas ta joie!

- Tu fais le ménage de ton garage, la porte grande ouverte, avec du AC/DC qui joue à tue-tête, et tu vibres en écoutant ta musique tout en récurant ta «caverne»? Sache que ta voisine qui vient d'accoucher aimerait profiter de ces deux petites heures pour faire une sieste! (Oh, et, d'ailleurs, ton boum-boum vient de réveiller le bébé... merci!)
- Tu es un romantique fini et tu as décidé de réveiller ta douce en lui chantant votre chanson d'amour, sous la fenêtre de votre chambre? Sache que ta voisine, qui vient de se séparer et qui pleure sa vie en faisant sa vaisselle, est loin d'apprécier tes sérénades.

J'ai probablement une hypersensibilité aux bruits ou une maladie mentale (misophonie)... L'autre jour, je me suis acheté un nouvel ordi. J'étais vraiment excitée et j'avais hâte de me servir de mon nouveau joujou. J'ai presque fait une dépression lorsque je me suis rendu compte que la barre d'espacement du clavier faisait un bruit *totalement* insupportable: on aurait dit qu'il y avait un bébé poussin de coincé entre les touches. Et ce n'était pas la touche Z, qu'on utilise très peu! Entendre le son d'un poussin en détresse toutes les deux secondes, c'était impensable pour moi! Je suis donc allée d'urgence faire écouter le bruit à mon technicien en informatique, qui m'a confirmé qu'il faudrait retourner mon ordinateur à la compagnie pour qu'elle corrige le problème. Tous ceux à qui j'ai fait écouter le bruit de mon clavier m'ont dit que j'exagérais, mais moi, je serais devenue folle, à la longue!

Heureusement, je suis moins intolérante aux bruits, depuis le temps. Je n'ai pas eu le choix, avec autant d'enfants, de visites et de va-et-vient dans ma maison! Mais, quand l'été arrive (plus précisément: trois jours avant que l'école finisse), je pète un plomb! J'ai envie de m'enfuir dans la stratosphère, d'enfouir ma tête sous terre profondément, de me faire greffer des bouchons d'oreilles ultraperformants pour ne plus rien entendre.

Je ne veux SURTOUT pas entendre :

- les enfants du voisin de gauche qui hurlent dans la piscine ;
- le filtreur du voisin de droite qui est détraqué ;
- le voisin de derrière qui s'exerce à la guitare électrique les fenêtres ouvertes ;
- le nouveau p'tit couple qui rénove sa maison depuis huit mois ;
- la construction de nouveaux condos, à quelques rues de chez moi, et les ouvriers qui commencent à sept heures du matin.

Quand je n'en peux vraiment plus de tous ces bruits, je m'en vais au chalet pour avoir la paix... mais ça recommence !

Au chalet, je ne veux SURTOUT pas entendre :

- les engins à moteur (Sea-Doo et compagnie) ;
- le cri exagéré des ados qui font du ski nautique pour la première fois ;
- la scie mécanique des hommes des bois qui défrichent leur terrain ;
- les partys de famille avec karaoké extérieur et plein de monde qui fausse ;
- les guitaristes qui chantent du Paul Piché autour du feu de camp jusqu'à une heure du matin ;
- les pêcheurs qui se croient seuls au monde, en plein milieu de leur lac, et qui parlent FORT, sans savoir que, sur l'eau, les sons sont amplifiés ;

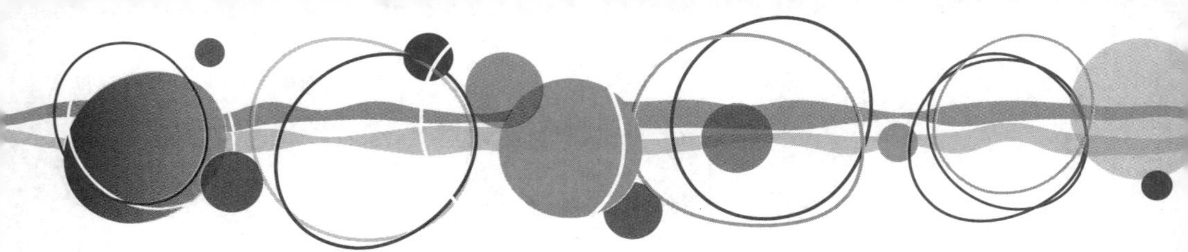

- les grenouilles qui coassent;
- et tout animal ou insecte non identifié qui s'exprime.

Tout ça, c'est sans compter les bruits émis par ma propre famille: la sonnerie des appareils électroniques des enfants chaque fois qu'ils reçoivent un texto (on se croirait dans une arcade!), mon chien qui respire fort et qui jappe, la télévision du sous-sol comme bruit de fond continu, les enfants qui sifflent (oui, s'ils sifflent, c'est qu'ils sont heureux et je devrais m'en réjouir, mais leurs sifflements additionnés au bruit du frigo et aux ronflements de mon *chum* qui fait une sieste, c'est une combinaison insupportable!), etc. Et que dire des tics nerveux sonores des enfants! Il y en a toujours un des six qui parle tout seul, un autre qui émet des sons en jouant à ses jeux vidéo ou un autre qui hurle sur Skype pour que son ami l'entende bien, un qui tousse, un qui a quelque chose de «pogné» dans la gorge, un qui a le hoquet, un autre qui hurle pour faire peur à celui qui a le hoquet... Je vous épargne la liste de tous les bruits des appareils de la maison: douche qui coule, chasse d'eau, séchoir à cheveux, etc.

J'en suis venue à la conclusion que j'avais trois choix:

1) Aller vivre dans une hutte.
2) Me mettre en permanence des écouteurs sur les oreilles.
3) Aller en thérapie pour comprendre mon intolérance et essayer de traiter ma maladie mentale.

Je n'ai choisi aucune de ces solutions, car elles sont irréalisables à mes yeux.

J'ai plutôt choisi d'en rire... et d'en parler! C'est déjà un pas dans la bonne direction.

Bon, je dois vous laisser pour aller fermer la fenêtre, mon voisin vient de décider de tondre sa pelouse!

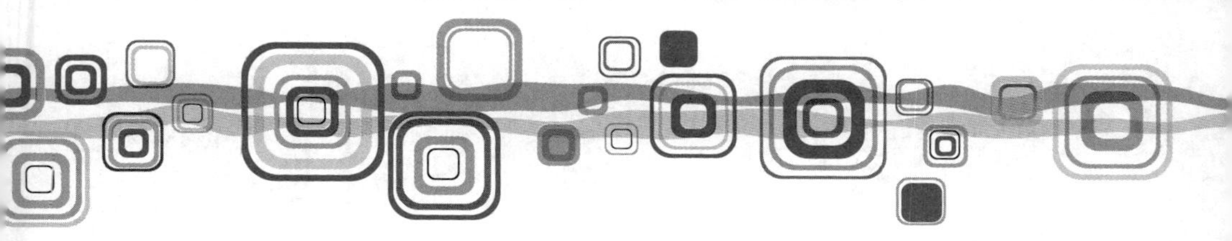

Parfaites imparfaites

Je me lève, ce matin, et je suis un peu triste. J'ai envie de nous chicaner, les femmes. De vous dire, une à une dans les yeux, qu'on n'a pas le droit de se faire ça...

Pas le droit de toujours se faire passer en dernier.

Pas le droit d'être tout le temps fines, fines, fines.

Pas le droit d'attacher trop d'importance à la personne qui partage notre vie amoureuse, au point de perdre notre identité.

Pas le droit de mal se traiter.

Pas le droit de dire oui quand notre voix intérieure crie non.

Pas le droit de faire semblant.

Pas le droit de renier qui nous sommes.

Pas le droit de se mentir à soi-même.

Pas le droit d'accepter d'en avoir toujours trop sur les épaules.

Pas le droit de toujours se sentir coupables.

Pas le droit de tolérer des situations inacceptables.

Pas le droit de dénigrer notre corps.

On se maltraite, on se malmène, nous, les femmes. On pourrait écrire, ensemble, un livre de dix millions de pages, un livre qu'on ne sera jamais capables de finir, un livre... interminable.

Se sentir coupables, tout le temps, à propos de tout et de rien. S'en vouloir, tout le temps, à propos de tout et de rien. Penser qu'on n'a pas agi correctement ou qu'on aurait donc dû se taire.

Que de moments gâchés, à ne pas pouvoir être qui nous sommes, simplement et tendrement. Que de moments ruinés par des « j'aurais donc dû » et des « la prochaine fois, je ferai autrement ».

Et si qui nous sommes et ce qu'on fait, c'était correct, AVEC nos imperfections, nos manques, nos faiblesses, notre vulnérabilité et nos doutes ? Et si c'était exactement ce que nous devons être, des femmes en cheminement, imparfaites et en évolution ?

De parfaites imparfaites.

Moi, je pourrais dire que je suis une imparfaite qui se trouve presque parfaite comme elle est.

Comment puis-je vous inciter à devenir des femmes imparfaites ? Il y a un mot clé : l'acceptation. Ça ne veut pas dire qu'il n'y a pas des choses qu'on a envie de changer, mais, d'ici à ce qu'elles changent (et ça peut prendre dix ans), il faut sortir du syndrome « en attendant de changer, je vais me gâcher la vie ». Et remplacer cette attitude par : « J'aimerais que telle ou telle chose change, mais je confie cette tâche à la vie, et, pendant que celle-ci s'occupe de faire le changement, pendant que je suis en transformation, je suis parfaite comme je suis ! »

Moi, c'est comme ça que j'aime vivre ma vie, en étant pleinement moi et pas ce que les autres voudraient que je sois.

Je sais quelle mère mes filles veulent avoir, quelle fille mes parents veulent que je sois, quelle amie mes amies aimeraient avoir ou quelle employée mon patron voudrait... Mais est-ce que JE sais quelle mère, quelle fille, quelle amie ou quelle employée je veux être? OUI, je le sais. La question que je devrais me poser est la suivante: est-ce que j'ose vraiment ÊTRE ce que je sais vouloir être?

Pour ma part, je vous réponds: de plus en plus. J'ose de plus en plus me connaître et j'ose de plus en plus me révéler. J'ose aussi m'accepter. Mais, pour ça, j'ai dû apprivoiser ma peur du regard des autres. On n'a pas le choix, les filles: si on veut vivre une belle vie, il faut absolument tasser le jugement des autres sur l'accotement, là où il ne nous empêchera pas de passer, d'avancer.

Terminés, les embouteillages causés par mes peurs et mes pensées négatives. Pour permettre à mon bolide d'avancer, j'ai besoin de toutes mes facultés et, pour jouir de ces dernières, je dois entre autres cesser de mal me traiter.

Je veux que la route soit libre. Je veux que MA route soit libre. Lorsqu'on comprend ça, plus personne ne peut nous arrêter.

Je suis un peu moins triste maintenant que j'ai écrit ce texte... Car je sais que nous serons nombreuses à choisir d'être de parfaites imparfaites, et ça rend mon cœur parfaitement joyeux!

100%

Faire ce qu'on aime ou aimer ce qu'on fait?

Moi, je veux les deux. J'ai longtemps trouvé des façons d'aimer mon travail, même si c'était difficile. La plupart du temps, j'avais des contrats professionnels dont seulement vingt ou vingt-cinq pour cent de la tâche m'apportait un réel bonheur. Les soixante-quinze à quatre-vingts pour cent restants ne me plaisaient pas. Mais, puisque j'étais bien payée et que j'en retirais un peu de bonheur, je ne soufflais pas mot et je continuais d'accepter ce genre d'engagement. Ce qui est un peu spécial, dans mon cas, c'est qu'aux yeux des autres, ces contrats étaient enviables. «Wow, tu travailles sur des plateaux de télévision, chanceuse!» ou «Wow, tu côtoies des vedettes!» me disait-on.

Très peu de gens ont une vie professionnelle à cent pour cent comme ils la souhaiteraient. Je connais des femmes ultracréatives qui travaillent dans un milieu extrêmement cartésien où elles ne peuvent pas exprimer leur créativité… Je connais des femmes leaders, qui sont pourtant exécutantes… Je connais des femmes qui ont un talent fou pour l'organisation, mais qui sont forcées de se laisser organiser toute la journée parce que ce n'est pas dans leur description de tâches… Je connais des femmes qui ont un talent exceptionnel, mais dont personne n'est au courant. Ce talent demeure un passe-temps, car elles ne pensent pas pouvoir en vivre...

J'ai déjà lu ce qui suit dans un livre de motivation : ce qu'on fait le plus facilement du monde, ce pour quoi on ne compte jamais nos heures, ce qu'on ferait même en vacances, c'est autour de cela que devrait tourner notre vie professionnelle. Pourquoi en est-il autrement en réalité, alors ? Parce qu'on ne se fait pas confiance, qu'on se dit que ce serait trop beau pour être vrai, etc.

Pouvez-vous vous imaginer notre monde si l'essence de la vie professionnelle de tous était faite de leur plus grande passion ?

Un jour, grâce à un exercice tiré du livre *Créer l'abondance*[8], j'ai dressé la liste des activités qui m'apportent le plus de joie. J'en avais dénombré une vingtaine. Puis, il fallait en retrancher une dizaine pour n'en garder que trois. Mon résultat était : lire, prendre un bain et parler au téléphone. Dans l'énoncé de l'exercice, on nous demandait ensuite de nous imaginer recevoir un salaire pour ces activités. « Non mais, on ne peut pas être payée pour faire ça !! » ai-je pensé. J'ai refermé le livre aussitôt en me disant : « Ça marche jamais pour moi, ces affaires-là, je suis trop différente... »

À peine six mois plus tard, j'étais dans mon bain et je parlais à une participante de l'émission de Claire Lamarche pour laquelle j'étais recherchiste. (Comme il m'arrivait de travailler dans mon bain, je prenais soin de spécifier à mes interlocuteurs que mon bain était parfois mon bureau.) Nous discutions d'un livre que je lui avais fait lire pour qu'elle vienne ensuite en parler sur le plateau. En raccrochant, j'ai eu un flash : je venais de prendre conscience que j'étais payée pour faire mes trois activités préférées, lire, prendre un bain et parler au téléphone ! J'en ai pleuré. Un contrat me donnait enfin

8. Dr Deepak CHOPRA, *Créer l'abondance*, Un monde différent, 2003.

cent pour cent de bonheur. Quinze ans plus tard, je continue sur cette voie avec mes livres et mes conférences.

Je dirais qu'entre-temps il y a eu un long détour. Pas un détour comme dans « j'ai perdu mon temps », mais un détour nécessaire, une sorte de laboratoire où j'ai pu expérimenter pour trouver quelle était ma passion réelle. Récemment, il y a eu cette période de trois ans, pendant laquelle j'ai animé l'émission *C'est ça la vie* à Ottawa, pour Radio-Canada. J'adorais l'émission, mais le cadre très rigide d'une telle production télévisée me faisait souffrir. L'an dernier, lorsque je suis revenue à Boucherville à temps plein, j'ai continué d'accepter des contrats de recherchiste. J'ai travaillé entre autres pour l'émission *La Voix* et j'ai eu le bonheur de rencontrer des personnes extraordinaires.

Mais c'est lorsque j'écris, lorsque je donne des conférences ou que je prends le temps d'échanger lors des journées « La vie comme je l'aime » que j'atteins vraiment cent pour cent sur mon échelle du bonheur. J'ai enfin pris le temps de développer ce dont je rêvais depuis longtemps et, pour ça, je vous dis merci, mes belles, car vous êtes celles qui m'ont poussée à le faire. Avec vos mots d'encouragement, votre soutien, lorsque vous preniez le temps de m'arrêter, à l'épicerie, pour me dire, les larmes aux yeux, à quel point je vous avais fait du bien. Vous m'incitiez à continuer d'écrire. Il y a eu aussi toutes celles qui ont été les premières à m'inviter pour que je donne une conférence : Sonya Baron, Céline Boucher, Lucie Durocher, Karine Lemieux, Carmelle Lecompte...

Du cent pour cent, tout le temps, grâce à vous toutes. Mais du cent pour cent dont je ne pouvais pas profiter pleinement, parce que je continuais d'accepter des contrats de recherchiste. Je disais souvent, à la blague : « Ces contrats, c'est comme si j'étais obligée de sortir trois mois avec Jacques ou Mario, mes ex. Pas que je ne les aime pas, mais ce que j'avais à vivre avec eux est derrière moi, aujourd'hui... »

Le plus étonnant (à mon plus grand bonheur), c'est que, lorsque j'atteins ce cent pour cent, tout est merveilleux. Il n'y a aucun stress, aucune difficulté. Est-ce possible? Oh que oui! La vraie question, maintenant, c'est : est-ce que je crois pouvoir ne faire que ça désormais? Aujourd'hui, au moment où j'écris ces lignes, je réponds OUI. Même si, il y a à peine un mois, je n'aurais jamais été aussi confiante, croyant que je n'avais pas droit à tout ça. Aujourd'hui, je me dis : « Marcia, non seulement tu en as le droit, mais tu en as le devoir, ne serait-ce que pour inspirer les femmes qui, tout comme toi avant, se contentent d'un petit quinze pour cent. »

Maintenant, je suis et je reste à cent pour cent. Je vous en donnerai des nouvelles... De toute façon, être à cent pour cent fera en sorte que je vous côtoierai régulièrement, parce que, si vous n'êtes pas là, ce n'est jamais parfait. C'est votre présence qui rend mon bonheur optimal.

Merci. Mille fois merci.

Au bal

M'être levée, samedi dernier, à la campagne. Avoir passé une soirée seule avec mon amoureux, avant-hier, pour la Saint-Valentin. Avoir cuisiné une bonne soupe, en fin de journée hier, pour ensuite me coucher tôt. Et, ce matin, me réveiller et avoir deux mots en tête : quel bonheur !

Quel bonheur de me lever aux côtés de l'homme que j'aime ! Quel bonheur que l'homme que j'aime m'aime aussi ! Quel bonheur d'être en santé, entourée de la belle nature que j'aime tant ! Quel bonheur d'avoir dans ma tête de riches idées que je transporte partout où je vais ! Quel bonheur de m'aimer ! Parce qu'au fond, c'est principalement ça, le bonheur : s'aimer un peu plus chaque jour. Pas s'aimer dans le sens de « trouver qu'on est la meilleure », non, s'aimer tout simplement comme dans...

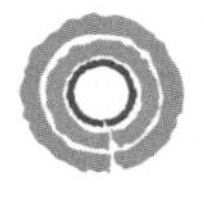

Merci, ma belle, d'être ce que tu es, parce que tu es unique. As-tu remarqué que je ne te dis pas merci pour ce que tu fais ? Parce que, bien honnêtement, je me fiche un peu de ce que tu fais si ça n'a pas un lien avec celle que tu es. Tu es mieux de FAIRE moins mais d'ÊTRE plus. Car tu fais les choses en étant. Pourtant, la

plupart du temps, quand on fait, c'est en attendant d'être. Comme Cendrillon qui doit « torcher » toute la maisonnée avant d'aller être qui elle est au château. Et nous sommes toutes (à différents degrés) affectées par le syndrome de Cendrillon : on veut aller au bal pour être libres, être amoureuses, être qui on est, dans notre belle robe sur le plancher de danse, le plancher de la vie. Mais, avant ça, on croit devoir faire, faire et faire encore, jusqu'à ce qu'on nous donne la permission d'être.

Alors, laisse donc ta longue liste de choses à faire de côté, va mettre ta plus belle robe et dépêche-toi d'aller au bal. Vas-y sans culpabilité et danse, ma belle, danse comme tu n'as jamais dansé ! Prends ta place et lève-toi au lieu de te tenir à quatre pattes, à récurer le plancher. Entre en mouvement, dans la plus belle des danses : la tienne. Comme dans la vraie vie, il y aura des gens qui te regarderont danser et qui te jugeront, par jalousie. Ils diront : « Mais qui est donc cette magnifique princesse, sortie d'on ne sait où, qui rayonne et qui danse si bien ? » D'autres diront que tu viens leur voler le prince même si tu n'étais pas invitée, ou ils voudront te faire trébucher. Mais toi, tu continueras de danser avec, au fond du cœur, la certitude que c'est ce que tu dois FAIRE pour ÊTRE qui tu es.

Dans ton histoire, contrairement à celle de Cendrillon, il n'y a aucun carrosse qui se transformera en citrouille à minuit, aucuns haillons qui remplaceront ta belle robe, il n'y aura pas non plus de soulier perdu dans l'escalier du palais. Ce sera un bal en continu, dans ton esprit, ton corps et ton âme. Même assise à ton bureau ou debout dans une allée à l'épicerie, tu resteras dans cet état d'euphorie, et tu te diras : « Quel bonheur ! »

Je regarde les beaux sapins saupoudrés de neige et les cœurs qu'a tracés Cœur Pur dans la neige, sur le lac, hier soir, pour la Saint-Valentin. Debout, face à la fenêtre, j'entends l'eau qui bout

pour le thé. Mon amoureux dort encore. Je suis en jaquette et, pourtant, je sais que je porte une somptueuse robe de bal. Tout à l'heure, j'irai danser sur le lac.

Les cœurs dans la neige, faits par Cœur Pur sur le lac.

Fais-nous jamais ça !

Un jour, j'ai failli mourir. Et c'était ce matin. Pas mourir de rire, pas mourir de peur ou de honte. Mourir comme dans : ne plus respirer, mourir sans avoir déjeuné, mourir alors qu'on vient de passer une heure dans le trafic. J'ai failli mourir aujourd'hui, mais mon heure n'était pas arrivée. Ça s'est passé vers huit heures quarante-cinq, à Montréal, sur le boulevard De Maisonneuve, coin Fullum. Je m'en allais animer une table ronde pour le magazine *La Semaine*. Le sujet, que j'avais proposé, était les parents qui connaissent la douleur d'avoir perdu un enfant. J'avais lancé l'invitation à Rita Lafontaine, à Pierre Bruneau et à Mélanie Gagné. Je devais arriver avant tout le monde pour me faire maquiller, mais j'ai appelé pour dire que je tournais en rond dans le quartier, en voiture, incapable de trouver un stationnement. J'ai fini par me garer dans un emplacement nécessitant une vignette. Qu'à cela ne tienne, j'aurais une contravention, je n'avais plus de temps à perdre.

J'ai traversé le boulevard De Maisonneuve à pied. Toutes les voitures étaient arrêtées, alors j'ai traversé au feu rouge en me faufilant entre les voitures qui n'avançaient pas. Erreur : dans la voie du fond, les voitures avançaient et la conductrice qui arrivait a freiné juste à temps pour m'éviter. Je n'oublierai jamais le bruit des pneus sur l'asphalte. Mon gros orteil droit n'oubliera jamais qu'il est resté coincé sous un pneu, juste assez pour saigner et perdre son ongle

après quelques jours. Je n'ai pas senti ma blessure sur le coup. Ce n'est que le soir venu, alors que je racontais mon histoire à Adèle, que j'ai enlevé mon bas et que j'ai trouvé mon orteil ensanglanté. N'eût été ce sang, j'aurais cru avoir tout imaginé...

Dans la vitrine du resto, de l'autre côté de la rue, mes collègues m'attendaient et ils ont assisté à toute la scène. Une seconde de plus et ça y était. Un miracle, vraiment.

La conductrice s'est garée sur le côté et a baissé sa vitre pour me dire que le feu était vert. Trop sous le choc pour répondre quoi que ce soit, je l'ai regardée, l'air de dire : « Merci », ou encore : « Je ne sais pas quoi vous dire, je suis trop sonnée, laissez-moi prendre conscience que je pourrais être morte. » Cette femme y repensera pendant des semaines, j'en sais quelque chose... Il y a neuf ans, en ouvrant ma portière sur l'avenue du Mont-Royal, j'ai heurté une cycliste, qui a fait un vol plané jusqu'au milieu de la rue. Une chance qu'il n'y avait aucun véhicule qui venait en sens inverse ! Puisque je n'avais pas de cellulaire à l'époque, j'ai couru partout pour tenter d'appeler une ambulance. Personne ne voulait m'aider. J'ai finalement trouvé une cabine téléphonique d'où j'ai appelé le 911. À mon retour, la cycliste était sur pied, sans une égratignure.

Maintenant que j'ai retrouvé mes esprits, je veux dire merci à cette dame d'avoir freiné à temps, de m'avoir épargnée. Si je n'avais pas été limitée dans mes mouvements à la suite de ma maladie, j'aurais probablement couru pour traverser l'intersection. Et, si je l'avais fait, cette fraction de seconde aurait été fatale. Merci, madame, d'avoir eu de bons réflexes. Et tâchez de ne plus vous en faire avec ça... Je suis en vie, c'est tout ce qui compte.

Après l'événement, Marco, le photographe, et Nathalie, la maquilleuse, ont été merveilleux. Ils m'ont écoutée raconter mon histoire. Je n'ai pas vraiment eu le temps d'être en état de choc, car j'avais une table ronde à animer avec trois êtres humains formidables qui ont connu ce que c'est, de donner la vie et de se faire reprendre ce qu'on a de plus précieux, subitement. Trois beaux êtres humains que j'ai pris dans mes bras, que j'ai regardés dans les yeux en les remerciant d'être présents pour parler d'un sujet tellement difficile : la mort. Et moi qui venais tout juste de passer à un cheveu d'y rester...

Le soir venu, j'ai appelé mes parents et je leur ai dit :

– J'ai failli mourir aujourd'hui.

Spontanément, mon père a répondu :

– Fais-nous jamais ça !

J'ai alors compris à quel point ça doit être terrible et incompréhensible de perdre un enfant. En raccrochant, j'ai eu envie de pleurer, mais je me suis retenue, parce que ma belle Adèle venait souper à la maison. Je l'ai prise dans mes bras plus longtemps que d'habitude, pour qu'elle sente à quel point j'étais en vie, et j'ai eu envie de lui dire à mon tour :

– Fais-moi jamais ça...

Je sais bien qu'on n'a aucun contrôle là-dessus, mais on peut profiter de la vie, pendant qu'elle est encore là. Comme l'ont fait Rita Lafontaine avec Elsa, Mélanie Gagné avec bébé Mathis et Pierre Bruneau avec Charles.

Le petit Charles, âgé de douze ans, qui a dit à son papa qu'il devait le laisser partir et qui lui a légué ce pétillement qu'il avait dans le regard, pétillement qu'on peut encore voir dans les yeux de Pierre, maintenant grand-papa de soixante-deux ans.

Nous avons tous été émus quand Mélanie nous a montré la chaîne, qu'elle porte en tout temps, avec le médaillon de son bébé, qui aurait huit ans aujourd'hui. Et Rita, qui parle tous les jours à sa belle Elsa, sa fille unique, avec qui je m'étais liée d'amitié vingt-cinq ans plus tôt, dans un cours de développement personnel. Ç'avait

cliqué, nous deux, et, chaque fois que je voyais sa mère, je demandais toujours de ses nouvelles.

J'ai failli mourir aujourd'hui et ça me donne envie de vivre encore plus intensément. J'ai même décidé de remplir systématiquement mon cahier de gratitude tous les soirs, avant de me coucher. Et ça commence ce soir. Mon premier merci sera le suivant : merci, je suis encore en vie !

Mon cœur aurait pu cesser de battre. Mes yeux auraient pu cesser de voir, on n'aurait plus entendu mon rire, ma voix, mes mots. Je n'aurais pas pu vous écrire ce texte. J'ai toujours apprécié, savouré et vécu pleinement le moment présent, mais il n'y a rien de tel qu'une voiture qui freine brusquement à un millimètre de soi pour démontrer que, d'une seconde à l'autre, tout peut cesser.

Je le sais. J'ai failli mourir aujourd'hui.

Ma rencontre touchante avec Rita Lafontaine, Mélanie Gagné et Pierre Bruneau.

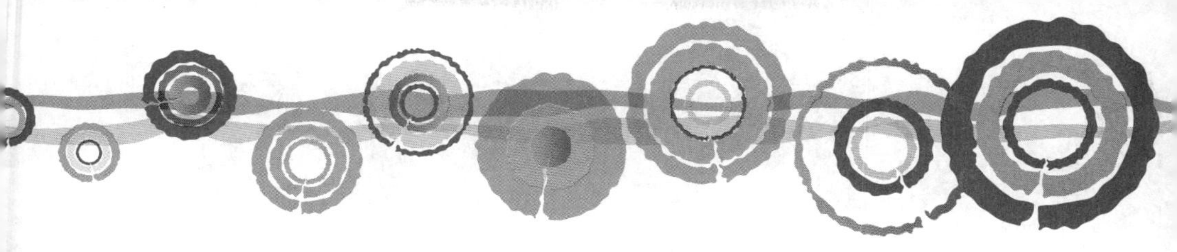

Vos yeux

J'ai la plus belle job de la terre depuis cinq ans. Et elle n'existait pas, cette job, je l'ai créée. Personne ne me l'a offerte sur un plateau d'argent et je n'ai pas eu à postuler ou à passer une audition pour l'obtenir. J'ai eu à frapper à la porte de votre cœur, chères lectrices, et vous avez répondu, vous m'avez ouvert. C'était il y a six ans. Lors de la parution du premier tome de *La vie comme je l'aime*.

J'avais écrit mes chroniques longtemps avant, mais je devais avoir peur de ne pas trouver les bonnes portes, avoir peur qu'elles ne s'ouvrent jamais. Puis je vous ai trouvées, et notre relation a pris de l'ampleur. Comme une boule de feuilles de thé qu'on met dans l'eau bouillante et qui grossit. Vous êtes le thé, la vie est l'eau bouillante, et moi, j'adore le thé, j'en suis dépendante.

Depuis quelques années, je vis quelque chose d'unique, que peu de gens ont la chance de connaître. Je vous rencontre en personne (dans les salons du livre, lors de mes conférences et des journées « La vie comme je l'aime ») et je vous vois. Je vois vos yeux.

Je vous ai devant moi régulièrement, assises dans des salles bien éclairées, avec vos beaux yeux qui me regardent. Et cette image de vous, je la transporte dans mon cœur par la suite.

Vos yeux mouillés de larmes, vos yeux pétillants, vos yeux qui comprennent tout à coup quelque chose que je viens d'expliquer, vos yeux fatigués, parfois inquiets, vos yeux qui cherchent des réponses, qui regardent le passé, vers le futur et qui aiment tant le présent... Votre présence, entière, lorsque vous ne pensez plus à la vaisselle laissée sur le comptoir, à l'inscription de votre plus jeune au cours de natation, au rapport que vous devez remettre à votre patron le lendemain, à la liste d'épicerie chiffonnée dans votre sacoche. Nous sommes juste entre nous, comme dans une centaine de tête-à-tête en même temps.

Vos yeux de petites filles de huit ans, même si vous en avez quarante. Vos yeux qui en ont vu, des choses, et qui veulent encore en voir tout plein. Vos yeux qui ont pleuré, ont aimé, qui se sont fermés tous les soirs lorsque vous plongiez dans le sommeil, qui se sont plissés à force de rire aux éclats. Parce que je le sais, je le vois dans votre regard, vous avez été capables de rire beaucoup, même dans les moments les plus difficiles, moments où votre humour a été si utile. Votre humour est précieux, car il vous a permis de dédramatiser une situation, de rire de vos travers, mais, surtout, il vous a permis de comprendre que la vie vaut la peine d'être vécue, parce que, chaque fois que nos yeux rient, on est un peu plus en vie.

Je vois dans vos yeux que vous savez où poser votre regard pour avancer. Je vois aussi que vous savez à quel point tout peut s'arrêter rapidement, le temps d'un battement de cils. Quand on sait voir, on sait vivre. Et je peux le confirmer, puisque je le remarque chaque semaine dans vos yeux : vous savez vivre et, ensemble, on continue à voir grand.

Un jour, ils se fermeront, nos yeux. Pour toujours. Ça nous arrivera à toutes, à tour de rôle. Et si c'est vrai que, juste avant de mourir, on revoit les passages importants de notre vie, je sais que je reverrai vos yeux une dernière fois, et on ressentira une profonde gratitude de s'être rencontrées et d'avoir eu la chance de partager un petit bout de cette belle grande vie. Je pourrai alors fermer les yeux à jamais et transporter avec moi tout ce que j'ai vu, tout ce qui m'a aidée à vivre et tout ce qui m'aidera à mourir.

Dans les coulisses du livre

Mon environnement de travail et mes outils lors de l'écriture.

Chez mes éditrices, lors du brainstorm pour trouver le concept de couverture du tome 6. Ce gribouillis, c'est moi dans mon bain!

En séance de travail avec la formidable Chloé, ma directrice littéraire. On travaille fort, mais on rit aussi beaucoup!

Martine Doucet en pleine action lors de la séance photo pour la couverture.

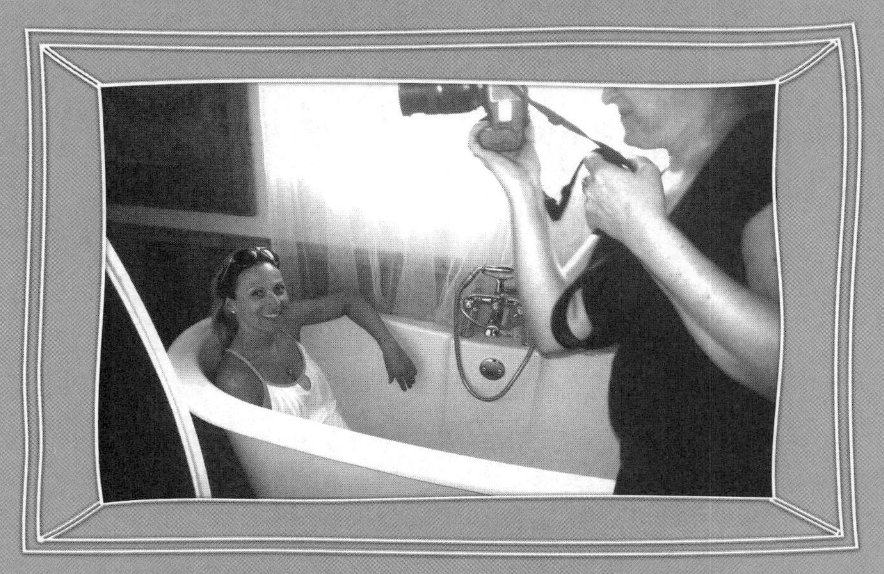

Sandy, mon éditrice, qui sert de modèle pour les tests d'éclairage. Je tiens à dire que c'est grâce à cette femme si les livres La vie comme je l'aime *existent.*

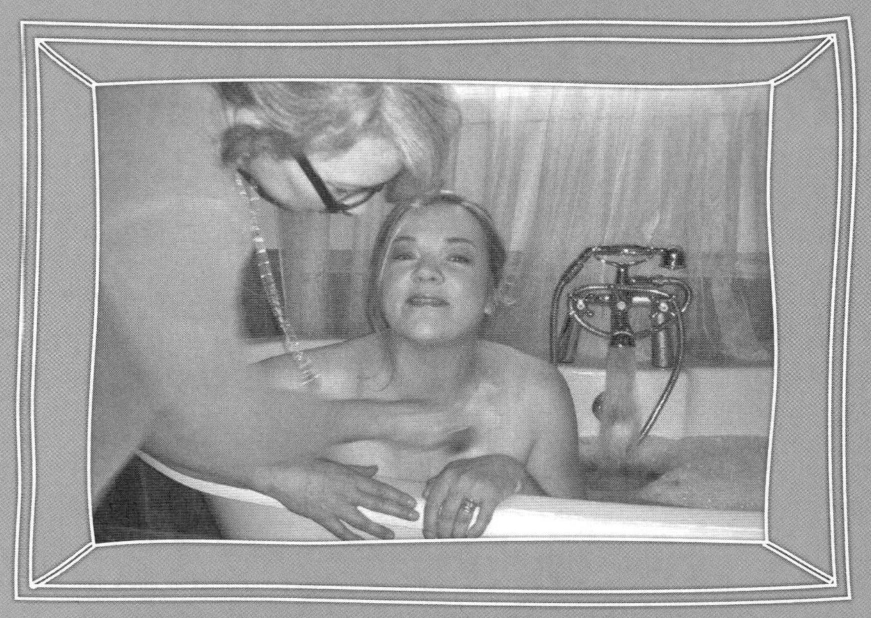

Quelques retouches maquillage par Marie-France Lamontagne.

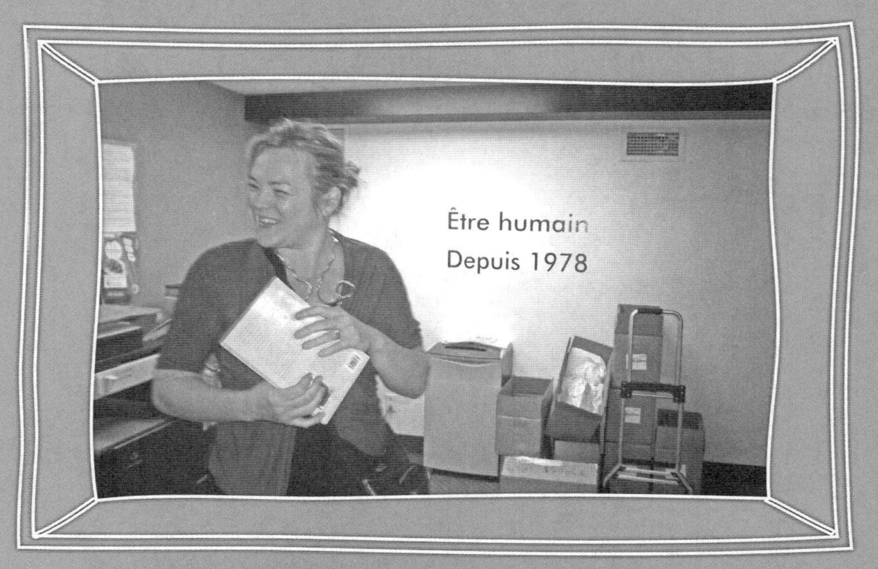

Toucher son livre tout frais sorti de l'imprimeur, c'est beaucoup d'émotions!

À la mémoire de...

Je veux dédier ce livre à toutes les femmes qui ne vivent plus sur cette terre et que j'ai connues de près ou de loin. Toutes ces femmes qui ont eu à quitter la vie qu'elles aimaient tant. Toutes ces femmes avec qui j'ai partagé un repas, avec qui j'ai travaillé, discuté, échangé et qui n'ont maintenant plus le bonheur de vivre. Je ne sais pas où vous êtes, on se recroisera probablement un jour sur un autre plan, mais en attendant, je veux que vous sachiez qu'à chaque instant je savoure la vie pour vous toutes qui ne pouvez plus le faire.

- Arrière-grand-mère Élisabeth
- Grand-maman Blanche
- Grand-maman Madeleine
- Tante Marie
- Lorraine St-Cyr
- Violette Le Bon
- Suzanne Chénier
- Gemma Tellier
- Gisèle Simard
- Marthe Simard
- Françoise Laforest

- Anne-Marie Lemay
- Madame Yvette
- Estelle Paradis
- Marie-Claire
- Lise Bélanger
- Marie-Soleil Tougas
- Ariane Leclerc
- Marie-Claude Dionne
- Hélène Chabot
- Carole Parent
- Nicole Saïa
- Lise Lehoux
- Nathalie Trudel
- Carole Millette
- Lise Dubé
- Evelyn Dumas
- Berthe Trépanier
- Doris Laplante
- Mariette Hébert
- Fernande Hébert
- Carmen Beauregard
- Alice St-Cyr
- Francine Brouillard
- Gilberte Arcand
- Mireille Pelletier
- Élodie Pelletier
- Louise Boivert

- Marie Vanasse
- Valérie Letarte
- Hélène Pedneault
- Rosida Simard
- Lhasa de Sela
- Yolande Hébert
- Michelle Deslandes
- Maude Bélair
- Martine Paul-Hus
- Céline Beaudet
- Pauline Lapointe
- Elsa Lessonini
- Murielle Roy
- Norma Legault
- Diane Laroque
- Yvonne Corbeil
- Germaine St-Germain
- Pier Béland
- Aline Jalbert
- Annette Belzile
- Lucille Fortin-Chevrette
- Solange Laurin
- Florence Turenne
- Audrey Côté-Laroche
- Thérèse Ruiz
- Monique Charbonneau

De la même auteure - déjà parus

Un de mes plus grands plaisirs avec le livre

La vie comme je l'aime

est de lire les courriels que vous prenez le temps de m'écrire.

J'en reçois plusieurs et j'y réponds personnellement.

Si vous avez envie de partager avec moi vos coups de cœur, de me donner votre avis sur certains sujets traités, d'ajouter votre grain de sel, de discuter ou d'échanger, vous pouvez le faire par le biais de mon site Internet :

www.marciapilote.com

ou sur ma page Facebook.

Ce serait pour moi le plus beau des cadeaux...

Achevé d'imprimer au Canada
sur les presses de Imprimerie Lebonfon Inc.